JOJO'S BIZARRE ADVENTURE

OVER HEAVEN

JOJO'S BIZARRE ADVENTURE

OVER HEAVEN

N I S I O I S I N
original concept HIROHIKO ARAKI

SHUEISHA

空条承太郎氏に

序文

空条承太郎氏がエジプトで焼却したというノートの復元及び解読を引き受けるに当たっていささかの躊躇もなかったと言えば、それは大いなる嘘となる。あの空条氏があまりの忌まわしさにこの世に残すことをよしとしなかったという内容を再び現世に蘇らせるというのは、職業倫理的にも、あるいはもっと根源的に人としても、およそ許されざる蛮行のように思えたからだ。やってはならないことだと強く思ったからだ。しかし紆余曲折あった末、最終的に、スピードワゴン財団からあったその依頼を受諾するに至ったのは、むろん、その空条氏が現在記憶を失い、昏睡状態にあるという事実と無関係ではない。空条氏の意識を取り戻させるためには、そのノートの内容が何らかのヒントになるのではないかというスピードワゴン財団の推測は、少なくとも的外れなものではないだろうし、そう言われてしまえば、私も空条氏に大恩ある身として、建前にも似た職業上の倫理や、人としてのありふれた常識などを説いているような場合ではなかろう。たとえ結果として回復のヒントとならなくとも、現在、空条氏がそんな状況にある原因の一端を読み解くために、私は万難を排してそのノートを復元しなければなるまい。

もっとも、とは言えそのためだけに私がそのノートの復元を引き受けたとするのも、これもまた大いなる嘘だ。実際のところ私は、スピードワゴン財団が最初に話を持ちかけてきた時点で、つまりそんなノートがかつて存在していたことを知らされた時点で、甘い誘惑にかられたという事実を告白しないわけにはいかない。やってはならないことだと強く思った、しかし少なくとも同じ程度にはやりたいとも思ったのである。かつて世界を暗黒に陥れんとした男、ディオ・ブランドー。否、ディオ・ジョースターと呼ぶべきなのか——それとも単純にディオとだけ呼ぶべきなのか。とにかく、人間を超越したかの吸血鬼が自身の目的を書き記したというノートの存在を知ってしまって、奮い立たない研究者はおるまい。誤解を恐れずに言えば、そこで良心が先に立つようでは学者ではない。空条氏が焼き払い、また、スピードワゴン財団内でも存在自体が第三種極秘事項、要するにトップシークレット扱いされているノートの復元、そして解読に、私が挑みたくないわけがない。悪をも誘惑する強烈なカリスマで多くの部下を魅了したかの吸血鬼が、邪悪の化身と評されたあの男が、その死後も残る大きな影響力を持っていたあの男が、一体何を考え、何を企み、どう生きたのかを、知りたくないはずがないのだ。だから言い訳はできない。空条氏のため、また世界の平和のためなどという聞こえのよい言い訳は、正直なところ私に関してはあまり成立しないのだ。まずはそのことを申し上げておかねば、ノートを最初に読む権利を得た者として、さすがにフェアではあるまい。

フェアついでに述べておくならば、当然のことながらノートの解読は困難を極めた。東方仗助氏でも完全には復元することができないほどに焼かれ、ほとんど灰と化していたそのノートの断片から、かろうじて読み取れる文字列は当然のことながら高度に暗号化されていて、しかも曖昧にぼかされていたので、鍵となる固有名詞のほとんどは、私が解読結果と現時点で判明している事実とを照らし合わせ、差し替えたものである。だから相当に読みやすくはなっているとは思うが、どうしてもつじつまの合わないつぎはぎ感は否めないし、しかもその癖、肝心要、悪の帝王が考える『天国へ行く方法』は残念ながらあまりにも難解かつ深遠で、専門家の私でさえ完全に理解できたとは言いがたく、ほとんど直訳のようなものである。ゆえにその真相の解読だけは賢明なる読者諸君の推測に任せるしかなかろう。私の仕事はこれからが本番であるとも言えるし、もちろん文中の誤訳や、それによって生じる矛盾の責は私が負うものであるが、そのことだけは最初にお断り申し上げておかねばなるまい。

著者

1

「ディオ。何があろうと気高く、誇り高く生きるのよ。そうすればきっと、天国に行けるわ」

わたしにそう教え続けた母親は、果たして天国に行けたのだろうか。確かに彼女はどん底の暮らしの中でもあくまで気位を持ち、誇りを失うことなく生きていたけれど、しかしだからと言って必ずしもそれで、それだけのことで、いやむしろそれだからこそ、彼女が天国への切符を得られたとは思えない。

わたしには思えない。

彼女は気高く、誇り高く、そして清く正しく美しく、さながら女神のようでもあったが、しかし同時に、どうしようもなく愚かな女だった。

わたしは彼女が嫌いだった。

そのどうしようもない愚かさが嫌いだった。

たとえばこうだ。

今日食べる食事にも困るような貧困の中にありながら——己も、息子のわたしも、空腹にあえぐ環境にありながら、彼女は働いて得たなけなしの金を、近所の飢えた子供達に分け与えていた。

子供だけではない。老人や、あるいは動物、そんな『弱き者』に、施しや恵みを与えるのがさながら自分の責務だとでも言うように、なんというか……『優しさ』、のようなものを、惜しげもなく彼女は周囲に振りまいていたのだった。

それが愚かでなくてなんだろう。

嫌いにならずにいられない。

自分のことを――それに、自分の家庭のことを常に後回しにする彼女の生き方は、確かに気高く、誇り高いものだったのだろうが、しかしそんな気高さも、誇り高さも、あんなどん底のような街においては、誰からも評価されることはない。

場所によっては、それこそ、たとえばジョースター家があったような、牧歌的な田舎町だったなら、その性格はそれなりに評価されたかもしれないが……、溝《どぶ》にも劣るあの町では、はっきり言って彼女は笑い者だった。

施しを受ける子供達、老人達でさえ、母のことを笑っていた。

心底面白そうに、実に楽しい冗談を見ているように、げらげら笑っていた。

わたしはその笑い声を聞いても、大して反感も抱かなかった。

彼らの言う通りだと思った。なんなら一緒になって笑いたいくらいだった――母への怒りが先行して、それはさすがにままならなかったが、それくらい。

わたしの母は愚かだった。

救いようもなく愚かだった。

それはそれとして、もちろん母を馬鹿にすることは、その息子であるわたしを軽んじることでもあったから、わたしは母を笑う彼らをただでは済まさなかったが、そんなわたしを、母は叱るのだった。

笑う彼らより、怒るわたしを叱るのだった。

「ディオ。いけませんよ、そんな風に暴力に頼って生きては。そんなことでは天国には行けないわ」

思えば口癖だったのかもしれない。言うこと自体が具体的な意味を持つ、呪文のようなものだったのかもしれない。

言っているだけ、という印象もわたしは受けた。天国、という言葉を口にするだけで、彼女は救われていたのかもしれない——そうとでも考えないと、あの女の気持ちは、わたしにはまったく理解できないものとなる。

いや、そう考えたところで、当然のことながら、理解不能には違いないのだが……そう考えることで、ようやく笑われっぱなしだった彼女の人生にそこそこの光が差すというような気がする。

とにかく彼女は、わたしの母は、ことあるごとに、幼いわたしに言うのだった。

こうすれば天国に行ける、と。

それでは天国に行けない、と。

天国、天国、天国、と。

わたしはそのたび、苛《いら》ついていた――子供心に、激しい苛立ちを覚えていた。理不尽な言葉だと思っていた。

母を許せなかった。

自己満足の慈善事業は自分だけでやってくれと思っていた。天国だのなんだの、そんな大層なことは、まずは自分の子供を満腹にしてから言ってくれと、真剣に、深刻に思っていた。

嫌いだった。

怒っていた。

許せなかった。

だから、酒に酔った父が母に暴力を振るうのを見ると、むしろ心がすっとした。ざまあみろと思っていた。

今から思えば馬鹿げたことだが……、幼少期のわたしは、母よりも父のほうが好きだった。あの、下衆《げす》で小物で、どうしようもない父のほうが、気高く誇り高い母よりもずっとマシだと思っていた。

わたしの母が『与える者』、あるいは『施す者』だとすれば、わたしの父は『奪う者』だと言えよう。

思えばわたしとジョースター家の因縁も、百年以上続くその因縁も、彼の強奪癖がきっかけだった……あの男がジョージ・ジョースターから『奪った』ことが原因だった。

わたしは彼が働くところを見たことがない。

働き、得るところを見たことがない。

適当な博打《ばくち》や、それに詐欺《さぎ》まがいの行為や恐喝で、町の連中から金銭や食べ物を『奪って』いた——『得る』のではなく、『奪って』いた。いつだって彼はそうしていた。彼の生き方は死ぬまで、母とは対極だった。

そしてあの町においては、正しいのは父のほうだった。父の生き方のほうが真っ当で、正しかったのだ。

少なくともわたしは、そんな風に奔放に、ずる賢く生きる父を格好いいと思っていた。憧れていたと言っても、尊敬していたと言ってもいい。

今から思えば本当に馬鹿げたことだが……、正気の沙汰ではないが、彼の生きざまを、とても鮮やかだと思っていた。いつだって弱い者から奪い、必要に応じて、あるいは必要もなく人を蹴落とす彼が、まだあどけない子供だった頃のわたしには、これ以上なく、『強く』

見えたのだった。

強く、スタイリッシュで、格好よく。

自分の父がそんな人間であることを、あのボロボロの街でわたしは、人生で一番、人生で唯一誇らしいものだと感じていた。

だが母はそんな父を否定していた。

真っ向から批判していた。

「あなた、やめてください。今すぐ、盗んだお金を返してきましょう。こんなことをしてはいけません。こんなことをしていたら、天国に行けなくなってしまいますわ」

そのたびに彼女は殴られていた。

愚かな彼女は愚かしく殴られていた。

倒れたところをさんざん蹴られ、酒瓶を投げつけられていた。

後にわかったことだが、いたかもしれないわたしの弟、あるいは妹は、そんな暴力のなか、流れてしまったらしい。

酷い話だ。酷い話、なのだろう、きっと。

だが、そんな日常的な暴力の中でも、彼女はあくまでも真っ直ぐだった。

底辺の生活の中、最低な環境の中、正義や倫理、道徳などといった、何の役にも立たないあれこれを宝物のように大切にしていた。

黙るだけでよかったのだ。

少なくとも、父の行為を見逃すだけでよかったのだ——ただそれだけのことで、少なくとも暴力からは逃れられる。

いや、酒乱の父を思えば、どうしたところでもちろん完全に逃れることはできないだろうが……、幼いわたしがそうしていたように、おとなしくしていれば、酒を呑んでいるときは彼から離れていれば、受ける被害は最小限に抑えられたはずだ。

子供でもわかるようなそんなことを、しかし彼女は実行せず、むしろ逆に、深酔い状態の父を、べろんべろんになっている父を、彼女は諫《いさ》めるのだった。

「あなた、お酒を呑み過ぎてはいけません」

などと。

当たり前のことを言うのだった。

殴られて当たり前のことを言うのだった——そんなことを言ったらどうなるのか、考えたらわかりそうなものなのに。考えるまでもなくわかるはずなのに。振るわれる暴力を、防ぐ手段を何ひとつ持たない癖に、それでもあえて父に物申す彼女の姿は、滑稽以外のどんな表現も当てはまらなかった。

不思議だ。

疑問を呈さずにはいられない。

嘲笑は避けられなくとも、少なくとも暴力からは逃れられたはずなのに……どうして彼女はそうしなかったのだろう？

やはり、ただ愚かだったからか？　頭が悪かったからか？

わたしの母は、本当にどうしようもない間抜けだったのか？

それは違う。

百年たった今なら、それが違うとわかる。

いわゆる外の世界を、そして先の世界を知った今なら。

私の母がとりあえず、知識と教養のある女だったのは確かだ——学校にも満足に通えない貧しさの中、教師代わりとなってわたしにいろいろ教えてくれたのは、他ならぬ彼女だった。

そんな基礎教養があったからこそ、わたしはその後、したたかに生きていくことができたのだ。わたしは母の生前、それを彼女に対して感謝したことは一度もなかったが——そんな『教育』なんて何の役にも立たないと思っていたが、しかし、それがなければ、あのお上品なジョースター家で生きていくことは、とてもできなかっただろう。

母の出自など気にしたこともなかったけれど、そうしてみると、案外あの女は、上流階級の出だったのかもしれない。

偏見でものを言わせてもらえれば、彼女の上品さや気品、それにあの信仰心は、少なくとも貧しさの中からは生まれないだろう……余裕のある生活の中で初めて生まれるものだ。しかし、そんな女が、どうしてあんな父と結婚し、あのような、目も当てられないような街へと身を落としたのかは、謎としか言いようがないけれど。

そう言えば酔った父が、くだを巻きながら言っていたことがあった。自分と母とは駆け落ちしたのだとかなんだとか、ラブロマンスがどうだとか、そんなくだらないことを……、酔っぱらいのたわごとだと聞き流していたが、真偽のわからない、とても鵜呑《うの》みにはできない話だと聞き流していたが、案外、それは本当とは言えないまでも、でたらめではなかったのかもしれない。

あんな父でも、たまには真実らしきことを言っていたのかもしれない……今となっては確かめようもないことだが。

「ディオ。お父さんを責めないであげて。お父さんは本当は優しい人なのよ。お酒がいけないの。お酒さえやめれば、きっとお父さんも真面目に働いてくれるわ」

これこそたわごと、と思わせるそんな台詞《せりふ》を、母は大まじめな顔をして、わたしに吹き込むのだった……幼い私は、それに吹き出さずにいるのが精一杯だった。どうしてそこまで愚かでいられるのか問《と》い質《ただ》したかった。

本当は優しい人？

お酒さえやめれば？

どこをどう見れば、何をどんな風に解釈すれば、そんな風に思えるというのだろう……、殴られ過ぎて、母は頭がおかしくなっているとしか思えなかった。

とすると、案外お似合いの夫婦だったのかもしれない、と、言って言えなくもなさそうだが、しかしどう考えてもちぐはぐな夫婦だった。

あんな下衆な父の妻として生きるというのは、正しさを旨《むね》とする――天国を旨とする彼女にとっては、拷問にも等しいものだったはずなのに。

それともあるいは、彼女にとっては、それが一番の『施し』だったのかもしれない。

あんな父と寄り添い、あんな父と添い遂げることこそが、神が自分に与えた使命なのだと、そんな風に思い込んでいたのかもしれない。

何の根拠もない大胆な仮説だが、そうとでも思わなければあまりに解せない。

彼女の人生はあまりに解せない。

町中の笑いものになりながら、それでも彼らを助けようとし、ぼこぼこに殴られながら、それでも父に仕えようとする。

毎日毎日、倒れる寸前まで働き続け、そして本当に倒れてしまって、帰らぬ人となった彼女の人生は、あまりに解せない。

果たして、彼女は天国に行けたのだろうか？

わたしは行けなかったと思う。

きっと彼女はどこにも行けなかった。
辿り着くことも、帰ることもなかった。

2

天国に行く方法があるかもしれない。

いつからかわたしはそんな風に考えるようになった。

少なくとも幼少期には考えもしなかったことだが……、そしてここで言う天国は、母が言っていた天国と同じものではないのかもしれないが、しかしとにかく、いつからかわたしは、そんな風に考えるようになった。

いつからか、と、その時期を曖昧にするのは、特に記憶が定かではないから、というわけではない……、むしろ、確信するに至ったその時期は、とてもはっきりしている。

例の魔女、エンヤ婆《ばあ》がわたしに献上したアイテム『弓と矢』によって、わたしがスタンド『ザ・ワールド』を得たときだ……、正確には、『ザ・ワールド』のスタンド能力を自覚したときだ。

『時を支配する能力』。

歯車がかみ合うように、その、我ながら恐るべき能力を自覚したとき、わたしは同時に確信した……、いや、確信と言うのはやはり言い過ぎだ。そう考えればわかりやすいというだけで、事実とは違う。

その時点においてはあくまでも『かもしれない』レベルの考えだ。

しかし、思ったのだ。

わたしは思ったのだ。

天国に行く方法があるかもしれない——と、そんな風に思ったのだ。

だからいつからか、と言うのならば、あのときあの場所からということになるのだが、とはいえこうして振り返ってみると、わたしはそれ以前から、ずっと天国に行く方法を模索していたように思う。

そのために。

そのためだけに生きていたようにさえ思う。

それがわたしの生きる目的だったように思う。

少なくとも、百年近く海の底で過ごし、地上に出てきてからの四年間のわたしの行動は、すべて天国に行くための行動だったようだ。

天国を見なければならない。

天国に行かなければならない。

そんな風に、わたしは思っていたのではないだろうか——だから、おそらくはスタンドを身につける以前から、わたしはずっと、考えていたのだろう。

天国に行く方法があるかもしれない、と。

そしてそれを探していた。

……ひょっとすると、あの母の代わりに、愚かなる母の代わりに、わたしは天国に行こうとしているのだろうか？　天国の風景を見て、それを母に報告しようとでも思っているのだろうか？

それは違う。断言する、違う。

今でもわたしは、あの母のことを愚かだと思っている——救いようがないほどに、どうしようもなく愚かだと思っている。

あんな生き方をしていたのだ。

死んで当然だったと思っている。

彼女に関して言うなら、無理がたたって過労死したという言い方も、日常的な暴力によって父になぶり殺しにされたという言い方もできるが、そうでなくとも、なににしても、あんな生き方ではあの女にはどのみち長生きは無理だっただろう。

笑われながら死に。

殴られながら死んだ。

それでも彼女は、最後まで、誰も責めることも、誰も恨むこともなかった。

「ディオ。何があろうと気高く、誇り高く生きるのよ。そうすればきっと、天国に行けるわ」

信じがたいことに、最後まで。

最後の最後まで、あの女はわたしにそう言い続けた。

今際《いまわ》の際《きわ》でさえ――そう言った。

それはきっと、罪深いことだったのではないかと思う。そう思う。

自分がされたからそう思うわけではないが……、あんな地獄のほうがまだマシというような街で、自分の子供に、正しく生きることを強要するなんて、ほとんど虐待のようなものだろう。

それに比べれば、父親のほうがやはりまだ真っ当だった。

あの町においては正しかった。

『欲しいものは奪い取れ』。

『その辺からかっぱらって来い』。

『自分の食い扶持《ぶち》は自分で稼げ』。

その通りだ。

実に『正しい』、何の文句もない。

それに比べて母の言うことの、なんと夢見がちなことか……わたしが母から教えてもらいたかったのは、天国や神についてではなく、すぐに役立つ今日を生きるためのもっと実用的なことだった。

もちろんわたしはそう言った。

天国なんてない、と。

ここは地獄で、それだけなんだ、と。

すると母は、悲しそうな顔をして、

「あなたはまだ子供だからわからないのよ。大人になればきっとわかるわ」

と言うのだった。

「天国はあるの。そしてそこに行く方法もあるわ。だから、わたし達はそのために生きなければならない」

どうしてだ。

天国があるからといって、どうしてそのために生きなければならない——子供だから、なんて言われても、納得できるはずがなかった。子供に対し、子供だからと言って話を終わらせるのは、暴力でしかない。

むしろそんな子供に、何もわからないような子供相手に、そんなことを強いるなんて無茶苦茶だと、わたしは思った。

今でも思う。

母の強要は、やはり病的だったと思う。

そんな気配はまるで見せなかったが、しかし、母は精神的に病んでいたのではないだろうか？　苦しい生活の中、最底辺の生活の中、あんな風に生きることで、彼女はなんとか自我を保っていたのではないだろうか……ありそうな話だ。

天国、というキーワードだけが。

彼女にとっての救いだった。

もしもそうなのだとすれば、やはり愚かだと思う――空腹と暴力で精神を病んでいたのだとしか考えられない。

もしもわたしがもう少し歳をとるまで彼女が生きていたならば、父のように暴力に頼ることなく、論理的に彼女を説き伏せて、そんな呪縛から解放してやることもできたかもしれない。

いや、きっとできただろう。

あなたのその生き方は間違っていると。

彼女に納得させることができただろう。

だが実際は、わたしがまだ幼いうちに、彼女はあっけなく死んでしまった。

ぞんざいな葬儀で埋葬された彼女は、おそらくは天国には行けなかっただろう。葬儀のその日も、父は呑んだくれていた。

「死んじまったもんはしょうがねーだろうが。葬式をやったら生き返るとでもいうのかよ、馬鹿馬鹿しい」

父が言うその意見を、見解を、やはりわたしは正しいと思った。

大して悲しいとも思わなかった。

むしろ、せいせいするという気持ちもあった。

母にとっても、それでよかったのではないのかと思っていた。

ああ、よかった。

やっと死ねたんだ。

やっと楽になれたんだ、そう思った。

それでもやっぱり、彼女が天国に行けたとは思えなかったのだが——しかし、地獄から解放されただけでも、普通は十分というものである。

3

そして残念なことに、わたしもやはり、天国には行けないだろう。

このままでは、行けないだろう。

そこへ行く方法を模索し、今のわたしは半ば見つけてはいるけれど……、『ザ・ワールド』というスタンド、天国に行くための片道切符を、既に手に入れてはいるけれど、しかしこのままでは、今のままでは、行けそうもない。

そう結論づけざるをえない。

諦めるわけではないが、現状、難しいということは認めざるを得ない……自分の力だけでそこに辿り着くことは難しい。

必要なものは信頼できる友である。

彼は欲望をコントロールできる人間でなくてはならない。

権力欲や名誉欲、金欲、色欲のない人間で、彼は人の法よりも神の法を尊ぶ人間でなければならない——いつかそのような者に、このディオが出会えるだろうか？

わたしの対極とも言える、そんな人物に。

いや、わたしは出会わなければならない。

そのような友と、出会わなければならない。

だから出会ったときのために備え、このノートに記録しておくことにした。

『天国へ行く方法』を。

そしてわたしがどのような経緯を経て、その『天国へ行く方法』に辿り着いたのかを、説得力を持たせるために、詳細に記しておくことにした。

このような記録を残すことは危険でもある……、このノートが、たとえば、かつての宿敵、ジョナサン・ジョースターのような者にでも見られたら、相当にまずいことになる。

そういう人物にはわたしの『目的』を知られたくない。

知れば『彼』は、『彼ら』は、きっとそれを妨げようとするはずだ……、むろん邪魔をしようというのならば迎え撃てばいいだけなのだが、しかしわたしにはまだ、そのための準備が整っていない。

百年前に奪い取ったジョナサンの身体が、まだ完全に馴染んでいないのだ。

いうならば『不健康』なのだ。

我がスタンド『ザ・ワールド』があれば、それでも彼らを返り討ちにする自信はあるのだが、しかしだからと言って慢心するには、わたしは百年前に屈辱的な敗北を嫌というほど痛感している。

だから『天国へ行く方法』を、こんな風に記録することは、非常にリスキーだ――だが、そのリスクを、わたしは冒さなくてはならない。

これはわたしの頭の中だけで、わたしだけが理解していればいいこと、ではないのだ。まだ見ぬ友に、その方法を理解してもらうためには、それを文章化し、そして体系化しておく必要がある。

もしもわたしがいなくなったとしても——その方法を実行できるように。

このようにペンを執ること自体、わたしにとっては久し振りだが……、自分の考えを整理する上でも、いいことかもしれない。なんというか、そう、懐かしの学生時代を思い出すというものだ。ジョナサンと親友ぶっていた、学生時代を。

やらなければならないことはたくさんある。

まだ見ぬ友を見つけるために、わたしは世界中を回らなければならないだろう……、自分の足で回らなければならないだろう。百年前ならいざ知らず、百年後のこの世界で、それだけの高潔な精神の持ち主を探すことは、簡単ではないはずだ。

そんな高潔な人物を口説き落とすことは、もっと難しい……、ゾンビ化させることも、『肉の芽』を埋め込むこともできない。『心から信頼できる友』相手に、まさかそんなことをするわけにはいくまい……うんざりするほど前途は多難だ。

だからこそ、記録が必要だろう。

客観的な記録が。

わたしの意見に基づかない視点が。

していれば自分でも気づかなかった見落としに、気づくこともあるかもしれない……。

とはいえ一応、このノートのことは、組織の人間達、特にエンヤ婆には秘密にしておこう。連中にはわかるまい。

「くだらぬ、あなたはそんなことをしてはならんおかたじゃ」――などというエンヤ婆の小言が聞こえてくるようだった。あの変わった老婆は、世界の頂点に立つことがわたしの使命だという――定められた運命だという。

言われればそうなのかもしれないとは思う――少なくともそれはわたし以外の誰にも不可能な行いだろうし、わたしの『ザ・ワールド』は、そのためだけにあるかのようなスタンドでもある。

しかし違う。

幸福とは、無敵の肉体や大金を持つことや、人の頂点に立つことでは得られない。

勝利もまた、そんなことでは得られない。

真の勝利者とは『天国』を見た者のことだ。

どんな犠牲を払ってもわたしはそこへ行く。

組織や己のスタンドさえ犠牲にしてでも。

形は違えど。

母が行こうとしていた場所、母が行けなかった場所に、わたしは行く。

4

母は愚かだった。

それは確かだ。

百年たった今ではそうではなかったことがわかる、みたいなことを一昨日書いたが――彼女がまったく愚かでなかったとは、さすがに言えない。

だが、実際のところ、母よりもずっと愚かだったのが父だ――母が死んでしばらくして、いや、しばらくするまでもなく、わたしはそれを痛感した。

それまで母に向いていた父の暴力が、すべてわたしに向いたのだ。

彼はわたしを、日常的に殴った。

わたしが子供ゆえに、子供らしい失敗をしたときにはもちろんのこと、子供ながらに何かをうまくやったときも、どうやらそれが気に入らないようで、失敗したときよりも激しく、血が出るまで殴った。

まるで、子供を殴ることを、彼は躾《しつけ》だとでも思っていたかのようだ。

『自分の子供を殴りなさい。あなたに理由がわからなくとも、子供にはその理由がわかる』などというふざけた言葉もあるが、しかしあの頃のわたしにはまったくわからなかった。

いや、すぐにわかった。

理由なんてないのだ、と。

結局父は、弱い者を虐《しいた》げ、それで自分の優位を確認したいだけの男だった。

母は愚かだったが、本当にどうしようもなく愚かだったが、しかしたとえそうでなくとも、彼女があの街に相応《ふさわ》しい人格の持ち主だったとしても、きっと父は、他に理由を見つけて母を虐げていただろう。

わたしはてっきり、母が『間違えて』いるから、母が愚かだったから、あんな風に殴られていると思っていたのだけれど、そんなことは関係なかったのだ。黙ってさえいれば被害は抑えられたということも、だからなかったかもしれない。

さしたる理由もなくわたしを殴るように。

あの男は母を殴っていたのだから。

彼はいつも苛立っていた。

常に不機嫌だった。

何かに当たり散らさずにはいられないほど、荒れていた。

わたしはより強力なゾンビを作るために、様々な悪人を――切り裂きジャックのような悪人を、これまで散々見てきたが、しかし、そんな名だたる悪党と並べても遜色ない父だった。

どうしようもない小悪党で。

ケチな下衆だったが、しかしもしも彼をゾンビ化させていればどれほど強力なゾンビが出来ていたかと思うと、あの男はやはり紛うことなく、このディオの父親だったのだろうとは思う。

思うだけで不愉快だが。

とにかく妻や子供にさえ、コンプレックスを抱くような愚かな男だった——その絶え間ない暴力の末に命を落としていても、全然おかしくはなかっただろう。

父の激しい暴力から逃れるためにわたしがしたことは、とにかく、働くことだった。働いて、金を稼ぎ、その金で父に酒を与えることだった。

酔えばますます暴力に歯止めはきかなくなるが、しかしそれでも構わず呑ませ続ければ、いずれは酔い潰れる。

さすがに眠ってしまえば、父もわたしに暴力を振るうことはなかった。

とはいえ子供である。

働くといっても、まともな職があるわけでもない——だが、荒れた街にも荒れた街の流儀くらいはある。まともでなければ、職なんていくらでもあった。

当たり前のようにピンハネされるので、子供が稼げる金額なんてたかが知れているけれど、しかし博打は町のあちこちで行われていたので、それを酒が買える程度に増やすのはたやすかった。

母の教育は、ここで生きた。

彼女が幼いわたしに与えてくれた教養は、まずは博打において活かされたというわけだ……、彼女にしてみれば不本意極まりなかっただろうし、そう思うとなんとも皮肉だが、しかしわたしはこのとき、初めて彼女に感謝したような気がする。

彼女のお蔭《かげ》で、今日も生き延びることができると。

初めて彼女に感謝した。

自分がロクに稼げないのに、幼い息子が酒を買ってくることについて、父親はやはり不機嫌になりわたしを殴ったが、しかし呑んだくれのあの男にとって、酒は何よりも優先するべきものだったらしく、彼は少しずつわたしを殴らなくなっていった。

下手にわたしを殴って、わたしが働けなくなったら、酒にありつけなくなるという程度の計算は、あの男にも働いたらしい。

わたしは、

『やはり母は間違えていたのだ』

と思った。

子供心にそう思った。

わたしに知識や教養を与えてくれたことに感謝しながら、しかしそれでも、母は間違えていたのだ、愚かだったのだと思った。

幼かったとはいえ、それはあまりにもわたしらしくない判断だったと思う。あるいはその頃は、いくら心中で『愚かでどうしようもない』と蔑《さげす》んでいたにしても、父親を切り捨てられない人間らしい気持ちが、わたしにもあったのかもしれない……認めたくはないが、天国に行くために必要なのだとすれば、それも認めなければなるまい。

『やはり母は間違えていたのだ』

『父は酒さえやめれば優しい人？』

『全然違うじゃあないか』

『むしろ酒を呑ませれば呑ませるほど、父は優しくなるじゃあないか——』

そんな風に考えたわたしは、父と同じ程度とは言わないけれど、母と同じ程度には、愚かだったのかもしれない。

若さゆえのミス、幼さゆえのケアレスミスだ。

親から殴られないことを『優しさ』だと思うなんて……、笑える。しかしディオ少年にとっては、それは素晴らしい『発見』だった。

わたしは結局、かなり歳を重ねるまで、父親の酒代を稼ぐためだけに、小さな身体では無理のある労働に、身を窶《やつ》し続けたのだった。

……嫌気が差してきてしまった。
今日はここで筆をおく。

5

面白いスタンド使いを見つけた。

ダニエル・J・ダービーという名前の博打打ちだ。

ギャンブラーとして生きている男で、少し話してみただけで、彼がスタンド使いだとわたしにはわかった。

奇妙なことだが、なんとなくわかるのだ。

相手がスタンド使いかどうか――スタンド使いでなくとも、その才能を有しているのかどうか、わたしにはなんとなくわかる。本当に『なんとなく』としか言えない感覚なのだが、しかし『はっきり』と、わかる。

つまりそれは『弓と矢』で、射抜くべき相手がわかるということだ――組織を形成する仲間となるスタンド使い集めはエンヤ婆に任せているが、しかし、『天国』に行くための仲間集めは、このディオが、自身をセンサーとして、自ら動かなければならない。

少しでも引っかかる者があれば、動かなくてはならない。

ダニエル・J・ダービー。

もう一度会いに行くことにしよう。

ひょっとすると彼が、わたしが探している『まだ見ぬ友』なのかもしれない――いや、それは期待のし過ぎというものか。

ギャンブラーである彼は、高潔なる精神の持ち主というわけではなさそうだから。

しかし、天国に行くための道しるべにはなってくれるかもしれない。

6

わたしが父を殺そうと決意したのは、あの男が母のドレスを売って酒代に換えようとしたそのときだった。

それまではわたしもまだ、父親に対し、何かを期待していたのかもしれない——期待し続けていたのかもしれない。

いつかはこの男も変わるに違いない、わかってくれるに違いない、そんな風に思っていたはずは毛頭ないが、しかしあの男に、父親らしい何かを、そうでなくとも人間らしい何かを、求めていたのかもしれない。

当時の気持ちをはっきりと思い出すことは、あれから百年以上が過ぎた今では正直言って難しいが、しかし、少なくともわたしにはそれまでにも、あの男を殺すチャンスは何度でもあった。

同じ家で暮らし、そして日がなごろごろ、彼はだらしなく眠りこけていたのだから——ナイフ一本あれば、五歳の子供であろうと何であろうと、あの男を殺すことはできた。

それをしなかったのは——あの愚かな男を、それでもわたしは、親だと思っていたからだろう。慕ってはいなくとも、そう思ってはいた。

だが違った。

あの男はただのクズだった。

人の親ではなく、人のゴミだった。

百年後の今だって、実のところ、あの男を父と呼ぶのが忌まわしい——あんな男を父と呼ぶくらいだったら、まだしもただの獲物としか見ていなかった、ジョースター家のジョージ・ジョースターを父と呼ぶほうが、ずっとましである。

あの男は母のドレスを売ろうとした。

いや、実際に売った。

わたしはそれを拒否し続けたが、少し目を離した隙に、あのぐうたらな男が自ら質屋に運んだのだった。

古びたドレスだ、大した金にもならない。

ボトル一本の酒のために、あの男は母との思い出を売り払った——いや、あの男にとって、それは思い出などではなかったのだろう。

たまたまワードローブの奥で肥やしになっていた、たまたま忘れていたドレスを、たまたま売った。それだけの話だ——本棚の後ろに転がり込んでいたコインを拾ったようなものだったのだろう、あの男にとっては。

ああ。

この男は本当に駄目なんだ。

わたしの父親は、本当に駄目なんだ。

そう理解した。

心底、そう理解した。

だからわたしは父を殺すことにした——否、正直なところ、それほど強い決意があったとは、言い難い。それこそ、本棚の後ろに入り込んだ虫けらを潰すくらいの気持ちだった
——わたしにとっては。

害虫駆除、という言い方をすると、逆にわたしの品位を下げてしまいそうだが……、しかし、思いついてみれば、そして思い返してみれば、どうしてそれまでそうしなかったのか、この男を殺さずに生かしておいたのか、わからなかった。

こんな男の酒代や薬代を稼ぐために、昼もなく夜もなく働いていた自分に腹が立った
——どころか、恥ずかしかった。

なんてミスをしたのだろう。

そう思った。

父は確かに、『奪う者』だった。

母が『与える者』で、父は『奪う者』。

それはわかっていた。

わかっていたのに――わかっていなかった。

奪われていたのは、私だったのだ。

私はあの父の下、父と一緒に暮らしながら、うまくしのいでいる、賢くしたたかに生き延びているつもりだったが、違った。

わたしは単に食い物にされていただけだったのだ。

いいように、奴隷のように扱われていただけだと、ようやく気づいた。

遅まきながらようやく気づいた。

いや――まだ遅くはなかった。まだ間に合うはずだった。

だからすぐに実行することにした。

わたしは父を殺すことにした。

とはいえそのときのわたしは、もう五歳の子供ではない。衝動に任せて、寝ている父の腹をナイフで抉《えぐ》るような真似はできなかった。法も戒律もないどん底のような街とはいえ、それでも父親殺しは許されざる犯罪だった。あんな男のために、わたしは人生を棒に振るつもりはなかった。

いや、既に十年以上、あんな男のために、わたしは人生を棒に振ってしまっていたのだ。

それ以上の無駄はごめんだった。

そういうわけで、わたしは殺害方法を吟味しなければいけなかった。やるからには完全犯罪でなければいけなかった。

まだ子供だったが、わたしは既にひとりで生活できるだけの能力を持っていた——そう自覚していたし、そう自認していた。だからこそ、その後の人生を放棄するわけにはいかない。

やけで殺すのではない、意志で殺すのだ。

だから考えなければ。

父を殺す方法を考えなければ。

7

予想通り、と言ってしまえばあまりに悲観的過ぎるだろうが、やはりダービーは、わたしの求める『まだ見ぬ友』ではなかった。

『心から信頼できる友』ではなかった。

彼は欲が深過ぎる……その欲深さは、わたしから見ればとても好感の持てるものだったし、ギャンブラーには不可欠な才能なのだろうが、しかし、『天国』に行ける性格ではない。

本当にいるのだろうか。

そんな『まだ見ぬ友』が、高潔な人間が、この世界に――いや。

ひょっとすると、わたしが気づいていないだけで、もう既に会っているのかもしれない。

そう考えれば、確かに思い当たる相手はいなくもない……まだここで名を記すほどに、確信があるわけではないが……。

ふむ。

ならばそちらからアプローチしてみるとしよう。こうも行き詰まってくると、目先を変えてみないと、さすがのわたしも気が滅入る。

ただ、まるっきりの無駄足ではなかった。

ダービーと接触できたのはやはり収穫だった——彼を部下に引き抜くことができたということはもちろんだが、彼のスタンド能力は『ヒント』になった。

彼のスタンドは『オシリス神』。

わたしの『ザ・ワールド』やエンヤ婆の『ジャスティス』といった、タロットカードの暗示ではなく、ンドゥールの『ゲブ神』と同じ、いわゆるエジプト9栄神の暗示のスタンド使いだ。

『オシリス神』のスタンドに、パワーはない。

はっきり言って、肉弾戦ならば、わたしは『ザ・ワールド』を使うまでもなく、普通の筋力で——吸血鬼の筋力だけで、ダービーを殺せしめることだろう。

だが、彼のスタンドは、使いようによっては、このディオをも圧倒しかねない——というのも、ダービーの『オシリス神』は、パワーやスピードとは違う、特殊な能力を持っていたからだ。

彼のスタンドは『魂』を『操る』ことができるのだ。

自分とのギャンブルに負けた相手の魂を、相手の肉体から引き抜くことができるのだ——これがとんでもない能力であることは言うまでもない。

ギャンブラーゆえに、引き抜いたその魂をこねくりまわした末に『チップ』に変えてしまうのが、なんというか、なんとも余計な真似だが……、しかし『魂』に『触れる』スタンドがあるなど、わたしは想像もしなかった。

そして、驚いたことに、彼の弟もまた、『魂を操るスタンド』の持ち主であるらしい……ふたりとも『弓と矢』に基づかない、生まれついてのスタンド使いのようだし、そこには何らかの血統が影響しているのかもしれない。

それも調べてみる必要はあるが、とりあえずは『魂』だ。

彼らのスタンドがあれば、36の魂を集めることも可能かもしれない。

天国に行くために必要なものは『極罪を犯した36名以上の魂』である。

『36名以上』という具体的な数字の理由は後述するとして、どうしてその魂が極罪を犯している必要があるのかと言うと、それは罪人の魂には強いパワーがあるからである。

百年前、凶悪な罪人ほど、強いゾンビになったことからわかるように――罪人の魂には、強いパワーがある。

それはきっと、『天国に行きたい』と願うパワーなのではないかと、わたしは推理する。

『天国に行きたい』――『幸せになりたい』という気持ちが、おそらくは魂のステージを上げるのだ。

この間、部下に引き入れた花京院典明《かきょういんのりあき》という少年は、負けたほうが悪なのだという持論を述べていたが、ならば逆説的に悪こそが、悪しき魂こそが、より勝ちたいと願うはずだ。

天国に行きたいと――天国に行き幸せになり、真の勝者になりたいと願うはずなのだ。
とにかく、これで少し前進した。
天国に向かい、前進した――重要なのは、このことを誰にも知られないことだ。
エンヤ婆達にはもちろん、ダービー兄弟にも。

8

毒殺にした。

殺した、という実感が薄くなるのは残念だったが、しかしそんな感触はただのくだらない自己満足に過ぎない。手応えが欲しくて殺すわけではないのだ。

わたしは『恨み』や『怒り』によって、父を殺したいわけではないのだ。そんなことで、気分を『スカッ』とさせたいわけでは、決してない。

わたしは始末するだけだ。

そう、始末。その言葉が相応しい。

部屋を掃除するのと同じことだ。

なすべきことをなすだけだ、そこに余計な感情を付け加えるべきではない。

肝要なのは、その行為によって、わたしの人生がどうでもいいトラブルに巻き込まれることがないようにすることだ。わたしのその後の人生以上に大事なものなどない。

『その後の人生』を、人として生きられなかったわたしの考えは今から思えばいかにも皮肉だが……とにかく、だからこその毒殺だった。

酒ばかり呑んでいたからだろう、父はこの頃、よく気分を悪くして、臥《ふ》せっていた——

わたしはそんな父のために、甲斐甲斐しくも薬を用意してやっていた。甲斐甲斐しくも。

その薬を毒にすり替えるだけのことだ。

それなら誰もわたしを疑わない。

あんな街には珍しい――つまりあの愚かな女の息子らしい――孝行息子の看病の甲斐もなく、病死してしまった父親。

そういう筋書きとなる。

もちろん、使うべき毒薬を誤ってはならない。決して露見しない毒を用意しなければならない――証拠の残らない毒を。

じんわりと、数か月かけて殺す毒がいい。

万が一の事態があったときに、そのほうが対応しやすい――だから毒の量を調整しながら、たまにはただの小麦粉でも織り交ぜながら、時間をかけて、ゆっくりと殺さなければならない。

幸い、心当たりはある。

わたしが暮らした街よりも更に暗く、闇に近い町――食屍鬼街《オウガーストリート》という町に、東洋の秘薬を操る中国人がいるという話は聞いていた。西洋医学などでは量れないかの国の秘薬ならば、証拠を残さず、後腐れも残さず、父を殺すことができるだろう。

そう結論を出したとき、このディオは、『ほっとした』。

それだけで、なんとなく、救われたような気がした。こういう言い方をするのは、このノートの中だからかもしれないし、ただの感傷なのかもしれないけれど、

『天国に行けるような』

心地さえした。

「ディオ。何があろうと気高く、誇り高く生きるのよ。そうすればきっと、天国に行けるわ」

母のその教えが、わたしがくだらないと切り捨てていたその教えが、きちんと息づいていたのだろうか。

父を殺すことが、毒殺することが、天国へ行くための善行であるような気さえ、そのときのわたしにはしたのだった。

父を殺すことが、何よりも気高く、誇り高い行為であるような気がした。

気がした？

違う、確信だった。

父を殺せば。

わたしは天国に行ける確信があった。

幸せになれ、その後の人生がすべてうまくいくような確信があった。

失われ、奪われていたものを、すべて取り戻せると確信していた——それは、今から思

えば、とんだ勘違いだったが。

それはスタートに過ぎなかったのだ。

わたしという数奇な物語のスタートに――未だゴールの見えない物語の、スタートに過ぎなかったのだ。

9

このノートを読んでいる誰かがいるとして、それがわたしの『まだ見ぬ友』だとして、まだどこにいるかも誰なのかもわからないきみにひとつ、質問しよう。きみは今まで食べたパンの枚数を覚えているだろうか？

わたしは覚えていない。

これまで、この不死身の肉体を維持するために、どれだけの命を『食べて』きたのか、数え切れないし、そもそも数えようとしたこともない。

若い女の生き血が、一番肉体の回復にはよかったので、犠牲にしてきた命の中で一番割合が多いのは、そのタイプだとは思うが、それも正確な数は認識できていない。

しかし、これはわたしに限ったことではない。

食べたパンの枚数を覚えている人間など、いるわけがない――しかしわたしは、最初に食べたパンの味を覚えている。

最初に食べたパン。

わたしが最初に殺した命。

ダリオ・ブランドー……即ちわたしの父親だ。

それは、実に味気ないパンだった。

今風に言えば、発泡スチロールでも食べているような味だった。

東洋の秘薬を使用しての殺人は、やはり実感がないものだったし、父が死んだそのときも、特に何の達成感もなかった。

やり遂げたという気持ちもなかった。

ただ、少しだけ疑問に思った。

『本当に殺す必要があったのか？』

『このディオが手を下す必要があったのか？』

そう思った。

そんな風に思ってしまった。

どうせこんな呑んだくれ、放っておいても長生きはできなかったはずだ。彼は日常的に薬を必要とするほど、既に身体を悪くしていた。

わざわざ手間をかけて毒を呑ませなくとも、薬を与えないだけで――わたしが薬代を外で稼いでこないだけで、十分だったのではないだろうか。

薬よりも酒を買ってこい、と彼は言っていた。

その通りにしてやっていれば、数年のうちに彼は死んだだろう――どうしてそれを我慢できなかったのだろう？

すると、わたしはやはり、『スカッ』としたかったのかもしれない。それだけだったのかもしれない。いくら実感の薄い殺人であろうと、味気ない殺人であろうと、わたしは自らの手で父親を殺したかったのかもしれない。

そうすることで、天国への片道切符を手に入れたかったのかもしれない――だとすれば結局のところ、やり遂げなければならない使命感をもって、わたしは父親殺しに臨んだのだった。

けれど得られたものは、ただの空っぽだった。

父は死んだ。

あっけなく、虫けらのように死んだ。

霊験あらたかな東洋の秘薬の効果は、見事だった――予定とほんの一日の狂いもなく、あの父親は死んだ。

誰もわたしを疑わなかった。

父自身も疑わなかった。

わたしは一分《いちぶ》の無駄もない完全犯罪を成し遂げたのだ――その手ごたえはまったくと言っていいほど、なかったが。

わたしはパンを食べたが。

満腹感はまるでなかった。

無味という味を、味わった。味わわされた。
十年以上の間、父によって奪われ続けてきたわたしは、それでもまだ、飢えていた。
飢え続けていた。
お腹すいたなあ、というのが、強いて言うなら父殺しの感想だった。

10

ダービー兄弟のスタンド能力を使えば、36名、それ以上の魂はあっという間に手に入るだろう。試してみたが、ギャンブルや勝負で、あのふたりに勝てる者はそうそういない。このディオが保証する。

特に兄のダニエル・J・ダービーの勝負強さは本物だ――彼は本物の勝負師だ。弟のほうは、それに比べてさすがに若いが、しかし彼のスタンド――『アトゥム神』は、勝負に敗北した人間の魂を抜き取るだけではなく、その魂の『色』まで読み取ることができるという。

彼のスタンドは『魂の温度』を計れるスタンドだ。

面白い。わたしの手元において鍛えれば、それなりにものになるだろう――本筋はあくまで経験を持つダービー兄のほうだが、予備として弟を鍛えておくことは、無駄にはなるまい。

残念ながら、ダービー兄弟の血族――親や従兄弟《いとこ》――をあたってはみたが、彼らはとりたてて変わったところのない、ただの人間だった。

まだ断定するには早いが、『魂を操るスタンド』は、あくまでも、兄弟だけのものと考えたほうがよさそうだ。ならばあのふたりを大切に扱わなければ。

『肉の芽』を刺す必要はない。

というより、刺すまい。

エンヤ婆の発案によって考え出されたあれは、人を操るのには向いているが――吸血によるゾンビ化と違って、理性や知性を残したまま下僕《げぼく》にできるという意味では素晴らしい技術だが、しかし脳に、石仮面の骨針さながらに脳に、つまりは精神に直接的に関与してしまうため、スタンド使いに使うと、対象者のスタンドパワーが弱くなってしまうという弱点がある。

『肉の芽』を使って配下としたジャン・ピエール・ポルナレフや、花京院典明は、素晴らしいスタンド使いだったが、『肉の芽』を使ったせいで、そのスタンドパワーがいくらか目減りしてしまったことは否めない。

それでも彼らは十分有用なスタンド使いであり、基本的にはあくまで誤差の範囲内だが……、そんな誤差が、『天国へ行く方法』を実行する上で生じることは避けなければならない。

36名以上の魂……、ダービー兄弟の力を使えば、あっという間に手に入る。

問題は、それに相応しい罪人が、36名以上、見つかるかどうかだ――百年前に比べれば随分世界は平和になった。罪人も減った。悪人も合理性を身につけた。

『まだ見ぬ友』を探すのと同じように、一方でわたしは罪人を探さなければならない――既に集めた仲間の中に、罪人と呼べるような殺人者も――『エボニーデビル』のデーボや『セト神』のアレッシーのような男もいるから、まるっきり集まらないということはないとは思うが。

そうだ、キーワードのことも、書いておかなければ。

天国に行くための14の言葉だ。

これは合言葉であり、また同時に、文字通りのキーワード――天国の扉を開けるための、鍵となる言葉でもある。

『らせん階段』。

『カブト虫』。

『廃墟の街』。

『イチジクのタルト』。

『カブト虫』。

『ドロローサへの道』。

『カブト虫』。

『特異点』。

『ジョット』。

『天使《エンジェル》』。

『紫陽花《あじさい》』。

『カブト虫』。

『特異点』。

『秘密の皇帝』。

必要なものは『14の言葉』である。

わたし自身忘れないように、この言葉をわたしのスタンドそのものに傷として刻みつけておこう。

もっともその心配はほとんどない——忘れる心配など、ほとんど皆無である。だからこその合言葉だ。言葉自体にはさしたる意味はない。母が幼いわたしを寝かしつけるために口ずさんでいた、ただの子守歌の歌詞なのだから。

あるいはうわ言のような、天国へ行くための子守歌。

それは同時に鎮魂歌でもある。

11

父はわたしに何も遺さなかった。

当然だ、あの父に財産なんてあるはずもない。

借金はあったが、それはわたしがなんとかできる範囲の額だった。小物の父は、借金の額まで小物だった――まあ、あんな父に金を貸すような馬鹿は、さすがにあの町にもいなかったということかもしれない。

ただ、あの男は確かにわたしに何も遺さなかったけれど、しかし死の床において、彼はわたしにある『道』を示していた。

ある『情報』を与えてくれた。

それが遺産と言えば遺産だろう。

奪うばかりだったあの男が、それは、唯一わたしに与えてくれたものだと言ってよかろう――人生の最後の最後で、あの男は、ダリオ・ブランドーは『奪う者』から『与える者』になったというわけだ。

それがわたしには不愉快だった。

どうしようもなく不愉快だった。

最後の最後に宗旨替えをすることで、ひょっとするとあの男が、悪人としか言いようのないあの男が、天国に行ってしまったかもしれないと思うと、たまらなかった。そんな可能性がほんのわずかでもあったかと思うと——たまらなかった。

あいつが、最後に、これまで散々虐待してきた息子を思いやったのかもしれないと思うと、身がよじれそうだった。

母が天国に行けたとは思わないが。

父は天国に行ったかもしれない。

『だとすれば』

と、わたしは考えた。

『だとすれば、わたしは天国に行かなければならないだろう——天国で彼に再会し、あの男をもう一度殺さなければならないだろう』

そんな風に考えた。

もっとも、そんな風に考えたのはそのときだけだ——気の迷いと言ってもいい。今のわたしは、そんな小さな動機で、天国に行く方法を模索しているわけではない。

もしも行った先に、あの父親を見つけたら、当然殺すとしても……、それはことのついでてでしかないのである。そんな後ろ向きな動機で、わたしは天国を目指しているわけではない。

わたしは人間の、そう、人間の、新たなる進化のために、天国を目指すのだ。

更なる高みを目指すために。

石仮面をかぶり、吸血鬼となったあのときのように。

『弓と矢』により、スタンド使いとなったときのように——ステージを上げたいのだ。

真の勝利者となるために。

『ディオ！　ちょいとここへ来い。話がある』

『おれはもう長いことねえ……わかるんだ』

『じき死ぬ』

『死んだあとの気がかりはひとり息子のおめえだけだ……いいかディオ』

『おれが死んだらこの手紙を出してこの宛名の人のところへ行け！』

『こいつはおれに恩がある……きっとおまえの生活の面倒を見てくれる』

『学校へも行かせてくれるだろう！』

『こいつはおれに恩があるんだ』

『ディオ！　俺が死んだらジョースター家に行け！　おまえは頭がいい！　誰にも負けねえ一番の金持ちになれよっ！』

最低の父親だった。

父と呼びはしたが、父と思ったことはない。

だが父が残したその『遺産』は——思わぬその『遺産』は、ありがたくもらっておいてやることにした——ひとりでも生きられるが、利用できるものは何でも利用しようと思った。

ようやく自分の人生が始まるのだと思った。

そう、そういうことだ。

父の命を『奪う』ことで、ようやくわたしの人生は始まったのだった。

ブランドー家とジョースター家の因縁は、この十二年前に既に始まっていたのだが、個人としてのわたしとジョースター家の因縁は、このときから始まったと言っていい。

周囲に怪しまれないために、父の葬儀はちゃんと執り行った。なんならその葬儀で、涙を流したりもした。最後までわたしは、孝行息子をやり遂げたのだった。

12

少し厄介なことになった。

本当のところ少しではないし、できれば厄介とは言いたくないが、表現としては『少し厄介なことになった』だ。

いや、前々からそうした懸念はあったのだが……、部下を使って調べさせてみた結果、ようやくはっきりした。

ジョースター家の末裔《まつえい》が生きている。

そしてこのディオの存在に気づいている。

『見られている』という感覚が以前からあった——最初は気のせいかと思ったが、気にし過ぎ、言うならば百年前から引きずる被害妄想の自意識過剰なのかと思ったが、しかしそうではなかった。

見られている。

いや、より正確に言うなら——『写されている』。

『念写』という能力によってだ。

能力というのはこの場合もちろん、スタンド能力という意味だ。

実のところわたしは『ザ・ワールド』の他に、もうひとつスタンドを持っている――その名を『ハーミットパープル』というのだと、エンヤ婆は言っていたが……。

自分のスタンドを他人事のように言うのを不自然だと思われるかもしれないが、しかし厳密にはこれは、わたしのスタンドではなく、わたしが乗っ取った肉体の持ち主、ジョナサン・ジョースターのスタンドであるらしい。

そしてこれと同じスタンドを、同じでなくとも似たようなスタンドを、ジョナサン・ジョースターの孫も、持っているというのだ。

百年前のあのとき。

わたしは弱っていた……なにせ、首だけだったのだから――もしもジョナサン・ジョースターの肉体を奪わなかったら。

この男のエネルギーがなければ――乗っ取った時点で、既に非常に少なかったが、それでも百年も海底で生き伸びることはできなかっただろう。

だがしかし、理屈はわからないが、この肉体はどうやら、親子の絆のようなものでジョナサンの子孫と通じているらしい。

ジョナサンの子孫。

ジョセフ・ジョースター。

空条《くうじょう》ホリィ。

空条承太郎《じょうたろう》。

奴らは——このわたしの存在に気づいている。

ジョナサンの肉体を得たことによって——そして『弓と矢』に貫かれることによって身につけた新しい力——スタンド。

『ザ・ワールド』。

そして『ハーミットパープル』。

ジョナサン・ジョースターの、このスタンドも子孫の身体に影響を与えている。

長所と短所は表裏一体——ままならないものだ。

幸い、と言うべきなのか、彼らは今、花京院典明の故郷である、日本に滞在しているらしい——ならば先手を打つとしよう。

『肉の芽』によって少なからず弱体化しているとはいえ、あの少年のスタンド能力ならば、十分に彼らを始末できるはずだ。

根絶やしにせねば。

ジョナサンの一族は——排除せねばならない。

13

昨日の続きだ。

しかし『見られている』と気づいたとき、その視線の持ち主がジョナサンの子孫だとは、わたしはまったく思わなかった。

わたしがジョナサンの肉体を乗っ取ることによって、ジョースターの一族は滅んだとばかり思っていたのだが……まさかその血統が、わたしにしてみれば別天地とも言うべき百年後のこの世界にも残っていたとは。

エリナ・ジョースター——旧名エリナ・ペンドルトン。

ジョナサンと結婚したという彼女は、どうやったのかは知らないが、あの沈没する船から生き残ったらしい——その上、ジョナサンの子供を産んでいたというわけだ。たくましいことだ。

思えば最初から、あの女はわたしの計画の邪魔をし続けていた——エリナがいなければ、ジョナサンがああもたくましく育つことはなかっただろう。どころかわたしの思うままの、負け犬になっていたはずなのだ。それをエリナ・ペンドルトンは——見事に妨げた。

そう……あの女はどこか、わたしの母親に似ていた。

気高く、誇り高く、聖女のようであり――

何より愚かだった。

ジョナサン・ジョースターのような男を愛したのだから――その姿には、どうしてもわたしは、父を愛した愚かしい母を、連想してしまう。

もっとも、調査させたところによると、エリナが生んだジョージ・ジョースター二世というパイロットは、わたしが作ったゾンビに殺されたのだという……、皮肉というか、なんとも運命じみたものを感じる話だ。

いや、運命と言うのは大仰《おおぎょう》かもしれない。何故ならあれほどわたしを追い詰めた者の息子が、わたしが大量生産したゾンビの、大勢の中のたったひとりに殺されたというのは、妙にあっけない――だからひょっとすると、その更に子孫のことなど、気にかける必要もないのかもしれない。

彼らがジョナサンの気概を受け継いでいるとは限らないのだから――案外この平和な時代にスポイルされて、腑《ふぬ》抜けてしまっているかもしれない。

しかし用心に越したことはないし……、それに、けじめと言えばけじめだ。ジョースター家の血統とは、はっきりと決着をつけたい。

ジョナサンの肉体がまだ馴染んでいない今、わたしが直接出向くわけにはいかないのだが……、花京院典明には、彼らの死体から血液を抜き取って持ってくるように命令してある。
彼らの血は。
きっとわたしの肉体に馴染んでくれることだろう。

14

そう言えば、だが……、これはもっとこのノートの後半で記すつもりだったのだが、いいタイミングなので、先に書いておこう。まさかうっかり書き忘れるということもないだろうが、タイミングを逃すまずさを、このディオはよく知っている。

ジョナサン・ジョースターに息子がいたように――そしてその子孫がいるように、このディオも、百年間の眠りを経て地上に出てきた後に、スタンドを得る前や得た後に、何人かの子供を『作って』いる。

驚くなかれ、このディオには子供がいるのだ。

世界中から『食事』として献上されてきた若い女の中から、なんというか、『見込み』のある者に身ごもらせた――もっともしかし、こう言うと無責任に聞こえるだろうが、その後のことは知らない。

子供がいることを確定した事実のように書いたが、ひょっとすると彼女達は中絶したかもしれないし、あるいは吸血鬼と人間との混血は成立せず、流産してしまったかもしれない。わたしの弟か妹のように。

だが、まだ完全に馴染んでいないわたしの肉体は、ジョナサンの――つまりは人間の要素が強いし、つまり『人間』の子供として生まれる可能性は高いはずだ。

どこかで生まれ、どこかで育っているはずだ。

見込み、というのは、一言で言うと、悪意の強さだ——悪い女ほど、悪意に満ちた女ほど、いい母親になる。

怒りっぽく、短気で、苛立ちがちで。

教養がなく、口汚く、礼儀を知らない。

そんな女ほど——いい母親になる。

わたしはそう信じていた。

つまり、わたしの母親と正反対の女ほど、いい母親になると——わたしはそんな風に信じていた。

母親は聖女ではなく、悪女であるべきだと。

だから子供を作るにあたっては、そういう女を相手に選んだ。献上されてきた女をあえて食さず、血を吸うことも洗脳することもなく、解き放った。

むろん、自分の子供が欲しかった、家族が欲しかったなどという当たり前な——家庭的な気持ちが、このわたしにあるはずがない。

あんな泥沼のような家庭で育ったこのわたしに、そんな気持ちがあるはずもない——それは、必要だから『拵《こしら》えた』だけだ。

天国に行くための手段だ――わたしの子供達。

何十年も先の話になってしまうが、たかが何十年くらいはわたしにとってそれほど気の長い話ではない。世界中のあちこちにいる彼らはきっと、わたしを天国に導いてくれるに違いない。

気になるのは、つまり懸念は、彼らがわたしの血だけではなく、ジョナサンの血も受け継いでいるということだ――どちらの血が濃く出るかで、展開が変わってこよう。

15

父は貴族が嫌いだった。父は貴族が大嫌いだった。憎んでいたと言ってもいい——いや、憎んでいたと言わなければなるまい。

憎悪。

そう、父にとって貴族は憎むべき悪だったのだ——あの父が悪と何かを認定するなどお笑い種だろうが、しかしあの男はそれに関しては真剣そのものだった。

放蕩息子ならぬ放蕩親父であった父が生前唯一真剣に取り組んだことが、貴族を憎むことだったという言い方もできる。

連中はお高くとまっていて、偉ぶっていて、自分達の暮らしがこんなに酷いものなのは、すべて貴族のせいだとわめいていた。あいつらが搾取《さくしゅ》するから、自分達から『奪い取る』から、こんなにも自分達は貧しいんだと責めたてていた——いや実際、本当によく言うものだ。

しかし、そんな父と一緒に生活していたから、そんな『教え』を受けていたから、当然のことながらわたしは貴族であるジョースター家に対して、最初からいい印象を持っていなかった。

あの父にさえ唾棄される貴族。

ロクなものであるはずがないと思っていた。

そしてそんな思いは、ジョースター家の跡取り息子、ジョナサン・ジョースターと会ったとき、確信に変わった。

それも揺るぎない確信に。

『きみはディオ・ブランドーだね？』

と、笑顔で話しかけてくる彼を見て、わたしは一瞬で直感した。

直感し、理解した。

ああ、と。

こいつは――『受け継ぐ者』だ、と。

『与える者』でも『奪う者』でもなく。

『受け継ぐ者』――途端に腹が立った。

いや、腹が立ったなんてものじゃない、怒り心頭に発するという感情だ。

よくも怒髪が天を衝かなかったものだと思う。

もちろんこのとき、わたしは既にジョースター家の財産を乗っ取る算段を立ててはいたのだが、しかししばらくは様子見の意味を込めて、おとなしくしているつもりだった。ジョナサン・ジョースターはわたしにとってただの獲物でしかなく、つまりその人格に何かを期待していたわけではなかったのだから、少なくとも彼に対して、いきなり行動を起こすつもりはなかった。

ジョースター卿に対しても、その息子ジョナサン・ジョースターに対しても、わたしは礼儀正しい従順な好青年を演じるつもりでいた――昔の、それも百年以上前のことについてあれこれと仮定の話をしても仕方ないが、もしもそれができていれば、ジョースター家の乗っ取りというわたしの計画は、成功していたかもしれない。

完全犯罪を完全に実行できていたかもしれない。

否――できたに決まっている。

だが、それはできなかった。

わたしは激情にかられ、そしてその激情のままに、ジョナサンの飼い犬――確かダニーという名前だったか――を、強く蹴飛ばした。

いっそ殺すくらいのつもりで――後にわたしは本当にこの犬を殺すことになるのだが――強く強く、蹴飛ばした。

わたしのそんな行為に対して、ジョナサンは激昂《げっこう》し怒鳴ったが、激昂したいのも怒鳴りたいのも、こちらのほうだとわたしは思った。

彼はわたしを許さないと言ったが、わたしも彼を許せなかった。

そう、わたしは許せなかった。

彼の笑顔が許せなかった。

彼の歩み寄りが許せなかった。

彼の余裕が許せなかった。

彼の朗らかさが許せなかった。

彼の友好的な態度が許せなかった。

何の苦労も知らないボンボンの甘ちゃんが、このような男がこの世に存在することが許せなかった。

持っているものを与えるわけでもなく。

しかし誰から奪わなくとも受け継ぐ彼が、心底許せなかった。

叩きのめさなければならないと、痛めつけなければならないと、そう思った。

わたしの使命はこいつの頭を踏み潰すことだったのだと、強く納得した。

父の気持ちなんてわかりたくもないが、彼の貴族に対する憎悪をこのときわたしは本当の意味で、実体験として理解できた。

ジョースター家の跡取り、ジョナサン・ジョースター――こいつを精神的にとことん追い詰めてやろうと思った。

それはもちろんジョースター家を乗っ取るためだったが、それ以外にも多くの理由があったように、今なら思う。

受け継ぐ彼から。
すべてを奪おうと、わたしは決意した。

16

少し文章が感情的になったので、日付を跨《また》いだわけではないが、ここでページを切り替える。

百年以上が過ぎた今でも未だ、あの日の怒りが醒めていなかったとは我ながら意外だ。

しかし思えば、百年前のあの日にしたその決意は、ある意味、達成されていると言ってもよさそうだ――なにせわたしは、他ならぬ彼からその肉体を『奪う』ことに成功しているのだから。

ジョースター家の財産を乗っ取ることには失敗したけれど、それ以上のものを、わたしはジョナサンから『奪い取った』。

ジョナサン・ジョースターの人生を、だ。

つまりすべてを奪った、と言ってもいい。

わたしは目的を果たしている。

わたしはやり遂げたのだ。

しかしそのことについての達成感はまるでない――父親を殺したときと同じだ。無意味な、無味な、実に味気ない、虚脱感のみがある。

奪ってしまえば、

『どうしてこんなものが欲しかったのか』

と思ってしまう。

何事につけそうだ。

ともすると、本末転倒とは言わないにせよ、わたしは奪うことのほうが目的になってしまっているのかもしれない。

自分が持っていないものを他人が持っていることを許せず、わたしは、それに父は、『奪う者』になったのかもしれない——奪い続けてきたのかもしれない。

それでよいだろう。

たとえよくなくとも、よかろう。

わたしは愚かな母のような『与える者』には死んでもなりたくなかったし、だからと言ってジョナサンのような、ぬくぬくとした『受け継ぐ者』にも、絶対になりたくはなかった。

気高く、そして誇り高い。

『奪う者』であり続けたかった。

今も昔も、そしてこれからもだ。

百年前も百年後もだ。

何年経とうと変わらない、それがわたしの気持ちだ。

……もっとも、わたしがジョナサンの前で、そんな『本性』を露《あら》わにしていた時期は、実はごくわずかだ。あろうことかわたしはジョナサンから、手痛い仕返しをくらってしまったのだ。

明日はそれについて記そう。

花京院典明から報告が入った。

ジョースター家の末裔、空条承太郎を発見したらしい——これから接触するとのこと。

彼の祖父でジョナサンの孫にあたるジョセフ・ジョースターは、現在、モハメド・アヴドゥルという占い師とふたりで行動しているため、順序として孫のほうから狙うという算段らしい。

モハメド・アヴドゥル。

わたしが以前、自ら足を運び直接接触したことのあるスタンド使いだ——有能極まりない、何としても部下にとりこみたかった男だ。しかし、即座に逃げられたので、『肉の芽』で支配することもできなかった。

どうしてああも素早く逃げに転じることができたのか不思議に思っていたのだが、なるほど、ジョナサンの孫から、わたしのことを聞いていたというわけか……。

彼の『炎』のスタンドは、『天国に行く』ために、必要となっていたかもしれなかったので、本当に部下にしたかったのだが……こういう形になってしまえば、諦めるしかなかろう。

残念だ。

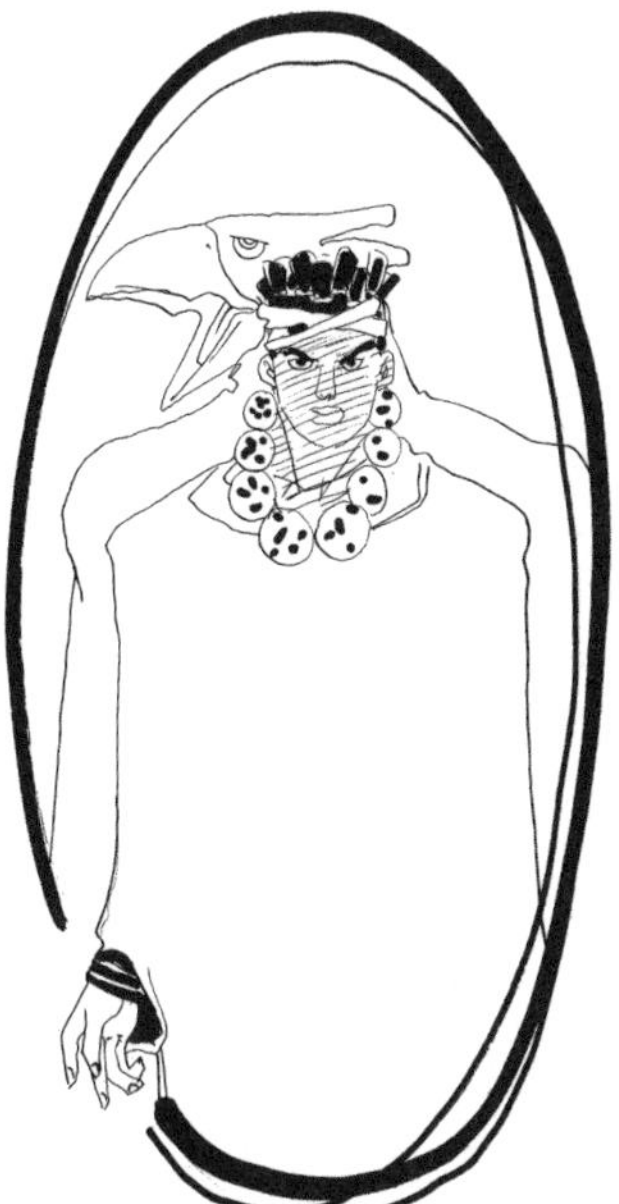

17

予定が変わった。

というより、変更を余儀なくされた。

花京院典明が敗北したという。

それもただ敗北したというわけではない——ただ敗北したというだけではない。

仮に『ただ』敗北したというだけならば、わたしはここまで驚かなかっただろう。スタンドバトルには相性というものがある。彼の『ハイエロファントグリーン』は強力なスタンドだが、それでもわたしの『ザ・ワールド』のように、無敵のスタンドというわけではない。それに『肉の芽』で、スタンドパワーがいくらか弱体化しているということもある——元より、空条承太郎とやらのスタンド能力によっては、敗北することもありえただろう。

だが、問題は敗北したそのあとのことだ——空条承太郎は、花京院典明を殺さなかった上、自らの命の危険を冒してまで、わたしが彼の脳に差し込んだ『肉の芽』を抜き取ったのだという——信じがたい話だ。

否。

疑いようもないというべきか。

その行為はまさしく、わたしのよく知る、ジョナサン・ジョースターそのものだった。

つまり——受け継がれている。

百年後の今もなお、受け継がれ続けている——ジョースターの熱い意志は、気概は、侮《あなど》れない爆発力は、今もなお、続いているのだった。

彼らが腑抜けていればよかった。

たとえどれほど強力なスタンドを身につけていようと、彼らがジョナサンの意志を受け継いでいないのであれば——放っておくという選択肢もないでもなかった。

だが、これでそうはいかなくなった。

宿命か……いいだろう。

奪わせてもらうとしよう。

天国へ行くための礎《いしずえ》に、彼らにはなってもらうとしよう。

18

ジョナサンの心を折るために、わたしは手を尽くした——今から思えば、随分と可愛らしいというか、陰湿ないじめのようなものだったが、しかし子供同士の、子供社会の内側のことだ。その程度で十分だった。

ジョナサンは毎日、泣きながら寝ていた。

そんなめそめそした態度が、またわたしの気に障《さわ》るのだった——この程度のことで。食事を一回抜かれたり、父親に叱られたり、友達を失ったりする程度のことで、あっさりと折れてしまう彼の心が——その手ごたえのなさが、やはり許せなかった。

あんな心、わたしの育ったあの街では一晩で折れよう。否、一時間ももたないかもしれない。

ここまで、どれだけ甘やかされて育ってきたのかが透けて見えるようで、不愉快極まりなかった——もっともっと、この男を追い詰めてやろうと思った、しかし。

先述のように、わたしがこうしてジョナサンにきつくあたっていた時期は、そう長くはない。わたしは、彼の心を折るために、そのための手段のひとつとして、ジョナサンの女に手を出してしまったのだ——それは失敗だった。

ジョナサンは自分が虐げられる分には何の抵抗もしない男だったが、他人のためには、それも自分の大切な人のためには、怒りを爆発させるタイプの性格だったのだ。

わたしは彼の爆発力を侮っていた。

壁に吹っ飛ばされた。

正面からの殴り合いで、わたしはジョナサンに敗北したのだ——恥を忍んで書くが、このとき、わたしは泣いた。

父の葬儀のときに見せたような演技の涙ではない、本物の涙だ。

殴られたのが痛かったからではない。

悔しくて、悲しくて、あまりにみじめで、泣いた——それまでわたしは、圧倒的にジョナサンの上に立っていたつもりだったのに、そんな思いはただの幻想に過ぎなかったのだと知って。

母やわたしを殴って満足していた父と、何ら変わらなかったのだと知って……涙した。

以来わたしはジョナサンに手を出すのをやめた——彼の前でも、ジョースター卿にそうしていたように、『いい子』の仮面をかぶることにした。

だが忘れたことはない。

この日の屈辱は、その後の七年間も。

そして百年後の今でも、忘れたことはない。

19

それにしても、ジョナサンの女——医者の娘だというエリナ・ペンドルトンは奇妙な女だった。いや、奇妙という言い方はあまり正しくないのかもしれない。感情的な、不当な罵倒かもしれない。

しかし変わった女ではあった。

彼女さえいなければ、ジョースターの血統が今まで続くこともなかっただろうし、それどころか、わたしは計画通りに、実にぬかりなく、ジョナサンの心を折ることに成功していただろう。

わたしは不老不死にはなれなかったかもしれないが、それでも、ジョースター家の次期当主として、天国のような暮らしを送れていたはずだ。

天国のような暮らしの中。

幸せになれていたはずだ。

奪われ続けていた人生を——取り戻すことができていたはずだ。

ジョナサンに泣かされてのち——己の『怒りっぽさ』を反省してのち、一度、彼女の様子を見に行ってみた。

謝ろうと思ったわけではない。

まさかそんなわけがない。

ただ、わたしは気になっていたのだ——わたしに無理矢理唇を奪われ、しかしその直後、泥水で唇を洗うことで誇りを取り戻した彼女のことが、気になっていたのだ。『奪われた』ものを『取り戻した』彼女のことが気になっていたのだ。

わたしの母親のように愚かしいその行為を、迷いなく行う彼女のことが——会ってどうしようと思ったわけでもなく、どころか会うつもりもなく、遠くから様子を見るだけのつもりだった。

だがそれすら叶わなかった。

親の仕事の都合とやらで、彼女は町から姿を消してしまっていたのだ——親の仕事の都合？　なんというか、それこそ都合のいい言葉だった。

百年も経ってしまった今、その真偽を確認するすべがあるわけもないが、ペンドルトン一家の引っ越しの原因は、わたしが彼女に手を出したことにあるのではないかと思った——そうまでして彼女は、自分の誇りを、あるいは、ジョナサン・ジョースターを、守ろうとしたのかと思った。

いや、たぶん事実は、本当に親の都合で引っ越しただけなのだろう——そこまで気高く、そこまで誇り高い女など、いるはずもない。邪推ならぬ聖推もいいところである。

だが、寿命をまっとうしたという彼女のことを思い出すときに、わたしは因縁めいたものを感じざるを得ない。

母。

エリナ・ペンドルトン。

いずれにしても、わたしの人生を邪魔するのは、いつもいつも、聖なる女だ。

聖女がわたしを妨げる。

つまり聖女という名をそのまま持つ、空条ホリィとやらも――きっとわたしの人生を邪魔してくれるのだろう。

20

ダービー兄弟から『魂』についての話を聞くにつけ、わたしは自分の考えが正しいことを確信するばかりだった。

疑いようもない。

やはり重要なのは『魂』だ。

それは人間の『魂』に限らない――地球上に存在するすべての『魂』である。動物も、植物も、魚も、虫も含めた、すべての魂。

いい機会だから、ここでまとめておこう。

この地球上では、『海と陸地』の割合が7：3と決まっているように、生物の魂の数も、きっちり決まっている。

つまりこの地球で人間の人口が増えれば増えるほど、その分だけ他の生物が絶滅していると考えて差し支えなく、魂全体の数は影響なく一定ということだ――質量保存の法則とは少し違うが、似たようなものと考えてもらって差し支えない。

だがその『魂』を。

たったひとりの人間が『何個』も『何万個』も『所有できる方法』があるとしたなら――

その人間は果たして何を見るだろうか？

スタンドがひとり一体であるように、魂もひとり一個——しかしたとえばわたしは、現にれっきとした事実として『ザ・ワールド』と『ハーミットパープル』、ふたつのスタンドを持っている。

それはわたしがジョナサンの肉体を乗っ取ったからなのだが……、つまり同じような方法を取れば、肉体のみならず、魂までも、乗っ取ることが可能だということだ。

ダービー弟は、抜き取った魂を人形の中に封じることを趣味としているが——あまりいい趣味とは言えないが、人形の代わりに人間を用いればどうなるだろう？　違う人間に違う魂を入れたら、そのときいったい何が起こるのだろう——もしもわたしが思う通りに事が運ぶなら、それで準備は整うと言ってもいい。

だが事情を説明しないままに、ダービー弟にそんな実験を行わせることは難しい……人形に魂を押し込むのは彼の趣味であるだけに、それを曲げさせるのは、並大抵のことではあるまい。

その趣味ゆえのその能力とも言えるのだから。

しかし彼に打ち明けるのは、まだ時期尚早だ——兄のダービーにも同様である。

さて、何か手段はないものか。

そうだ。

ペンを動かしながらひとつ思いついた――彼のスタンド能力ならば、あるいは、そんな実験も可能かもしれない。

エンリコ・プッチ。

アメリカ合衆国を訪れたときに会った、彼のスタンド能力ならば――

21

プッチに会うためにアメリカに行くつもりだったが、そうはいかなくなった——どうやら極東の島国で、動きがあったようなのだ。

現地を調べさせていた虹村《にじむら》からの報告によると、ジョースター家の血統、空条ホリィが高熱を出して倒れたそうだ。

スタンド熱、だと言っていた。

わたしには少し理解しがたい話だが、スタンドが本体に悪影響をもたらすこともあるそうだ——わたしの肉体、彼女にとっては祖先にあたるジョナサン・ジョースターの肉体の影響で、スタンド使いになったはいいが、しかしそのスタンドが逆に、空条ホリィの身体を苛《さいな》んでいるのだとか……。

スタンドとは、精神力の強さ——『魂』で操るものであり、戦いの本能で行動させるもの。逆に言えば、平和な性格の人間には操ることができない——そう理解すればよいのだろうか。

とすると、やはり空条ホリィは、わたしが思った通りの性格だったようだ——聖女。そして予想通りに、彼女はそうやって、これ見よがしに倒れることで、わたしの邪魔をするようだった。

　きっと彼女の父親であるジョセフ・ジョースターと彼女の息子である空条承太郎は、そのスタンドの呪縛から彼女を解放するために、このディオを倒さんと、このエジプトまでやってくることだろう。

　わたしの『目的』がはっきりしない以上、念写などでは伝わらない以上、連中も軽々と動かないとは思っていたが、肉親の——大切な人間の命が危ういとなれば、我武者羅《がむしゃら》に向かってくることだろう。

　そうなると、軽々に動けなくなるのは、むしろわたしのほうだった——わたしは不死身で、強力なスタンドを持ってはいるが、しかし如何《いかん》せん身体がまだ馴染んでいないし、何よりわたしには『太陽』という絶対的な弱点がある。

　ひとりでいるところを、昼間に襲われてはひとたまりもない。

　だからと言って、『天国へ行く方法』の模索を中断するつもりもない——ジョナサン・ジョースター本人ならばまだしも、ジョースター家の末裔などのために、計画を遅らせるつもりもない。

　仕方あるまい。

　プッチには電話で連絡し、向こうからエジプトに来てもらうとしよう。既に何度か来てもらっているので、迎えをやる必要はないだろう——むしろ迎えを差し向けなければならないのは、ジョースター一行のほうか。
万難を排して丁重にもてなして差し上げなくては。
差し向けるスタンド使いは、あの男が相応しいだろう——『タワー・オブ・グレー』。
破壊と災害。
そして旅の中止の暗示を持つスタンド。

22

ジョースター家で過ごすその後の七年間は——つまりわたしの計画が露見するまでの七年間は、当然のことながら、楽しいものではなかった。

優等生の仮面をかぶることが苦痛だったというわけではない——ジョースター卿やジョナサン、使用人や学友たちを騙《だま》すことは、生き馬の目を抜くあの街を生き抜いてきたわたしにとってはたやすいことだった。もちろん、最初に衝突したジョナサンは、七年間ずっと、わたしに対し疑念を持っていたようだが……しかしそれが疑念の域を出ない程度には、彼を信用させることはできていた。むしろジョナサンはわたしを疑う自分を恥じてさえいたようである。なんとも面白おかしい。

だから楽しくなかったのは、ジョースター家——それに学校や人間関係が、あまりにぬるかったからだ。

あまりにぬるま湯だったからだ。

何の刺激もない生活だった。

大袈裟《おおげさ》な言い方をすれば、頭がおかしくなりそうだった——もちろんぬるま湯のほうがわたしにとっては都合がよいのだが、しかしわたしの本性を垣間見たことのあるジョナサン以外、あまりに簡単に騙される彼らに、何の手ごたえも感じなかった。

貴族を敵対視していたわたしにとって、その手ごたえのなさは、空振り感にも近いもので、逆に、自分が何か、取り返しのつかない酷い間違いを犯しているような気分にもなった。

貴族とはわたしにとって強敵のはずではなかったのか？　なのに、ならばどうしてこうも――手ぬるい？

わたしは今、とてもくだらないことをしているのではないか、『時間を無駄にしているのではないか』と、そんな思いがつきまとった。

まだ不死身というわけではなかった当時、『時間』の『無駄』は、わたしにとって地獄と同義だった。

いっそすべてをぶちまけ、感情を爆発させ、あえて周囲をすべて敵に回してみようかという思いにとらわれることもあった――ジョナサンと広間で殴り合ったあの熱さを、心のどこかでわたしは求めていた。

まあ、若かったとしか言いようのない感情だし、結局わたしは、七年間、感情を見せることなく優等生の仮面をかぶり続け、地に伏したままで過ごしたのだが……。

しかし結局、七年後、わたしの計画はジョナサンによって暴かれてしまうのだから、ぬるさに我慢した甲斐もなかった。

失敗した計画をここで長々と書き連ねてもあまり意味がないけれど、しかしだからと言って大胆にすぱっと飛ばしてしまうのでは、記録としての意味がない。だから簡潔に記そう。

わたしはまず、ジョースター家の正式な養子となった——法律上、わたしはジョースター家の人間になったのだ。

ディオ・ブランドーから、ディオ・ジョースターになった——言ってしまえば今、わたしを脅《おびや》かそうとしているジョセフ・ジョースターや空条承太郎、そして病身にあるという空条ホリィは、ジョナサンの子孫であると同時に、肉体上の意味でも法律上の意味でも、このディオの子孫でもあるということになる——だからどうというわけではないが。

もっとも、わたしはジョースターの一族になったつもりなどなかったし、肉体を乗っ取ったとは言え、それはわたしがジョナサンになったということではなく、ジョナサンがわたしになったということなのだから、ゆえにわたしが彼らに対し、何らかの感情を抱くということはない。

家族の情とか、そんなものを抱くはずもない。

ブランドーの姓を名乗ることは——あの父の名を引き継ぐことはこれ以上なく不愉快だったが、ジョースターの姓を引き継ぐことも、同じくらいには、ひょっとしたらそれ以上に、不愉快だった。

養子になって以降も、学校ではわたしはブランドー姓で呼ばれ続けたが、それを特に訂正しなかったのは、ジョースター姓に特にこだわりがなかったからだ――ただ、籍さえ入っていれば、それでよかった。

ジョースター卿の財産を乗っ取るためには。

正式な養子になる必要があった――『面倒を見てもらっている恩人の息子』という立場に甘んじていては、いつまでたっても彼の財産を『奪う』ことはできない。

わたしは彼を、

『おとうさん』

と呼ばなければならなかった。

当然、そう呼びはしながらも、わたしはジョージ・ジョースターを父と慕っていたわけではなかった。ダリオ・ブランドーは下衆でどうしようもない男で、軽蔑することしかできない、長所の見つけようもない男だったが、人格者であり、優しく、甘く、紳士的であったジョージ・ジョースターも、長所のかたまりのようなあの男も、わたしにとっては同様に、軽蔑することしかできない男だった。

ダリオ・ブランドーを父と呼ぶくらいだったらジョージ・ジョースターを父と呼ぶほうがマシだ、みたいなことも書いたが、やはりどちらも御免だ。嫌々でしかない。

いいところだらけのあの男の態度が、振る舞いが、わたしにとっては腹立たしかった

――既に『与える側』に回っているとはいえ、結局は彼もジョナサンと同じ、『受け継ぐ者』だったからだろうか。

ひょっとすると、という期待がなかったわけではない――いや、それは不安と言い換えたほうが正確かもしれないが。

とにかく、ジョースター家で、ジョージ・ジョースターという貴族の男に育てられることによって――彼の世話になることによって、このディオが、なんというか、故郷で唯一習得したものとも言える野心を失ってしまうのではないかという思いが、期待にしろ不安にしろ、なかったわけではない。

だがそんなことはなかった。杞憂だった。

結局わたしは、最後の最後まで、貴族が嫌いだった――ジョースター家に限らない、お高くとまった連中の態度が、当たり前みたいにわたしの境遇に同情する彼らの態度が、地球上に存在する何よりも許せなかった。

父を殺して初めてわたしの人生が始まったように――ジョージ・ジョースターを殺すことで、わたしの人生はまた、前に進むような気がした。

だからわたしは二人目の父親も、迷いなく、必要なことをするだけという気持ちで、殺すことに決めたのだった。

憎しみもあったし、怒りもあった。

だが理由は必要があったからだ。
必要だったから。
続きは明日書く。

23

昨日の続きだ。

それでもジョージ・ジョースターを殺すのを、わたしが七年間待ったのは、父を殺したときよりも更に、慎重を期さなければならなかったからだ——七年かけて信用を築き、そして財産継承権を得た上で、わたしは養父を殺さなければならなかった。

だが、失敗したのは、父を殺したときと同じ手段を、そう、今から思えば安易なことに、採用してしまったからだ。

東洋の秘薬を使っての毒殺。

もちろん、ナイフや銃を使って殺すなんてのは論外だが、しかしそれでも、違う手段を取るべきだった。

ジョージ・ジョースターが体調を崩したとき——単なる風邪だったと思う——わたしは、いつでも使えるようにあらかじめ準備しておいた毒を、ジョースター家の執事に代わって部屋に運び、彼に呑ませた。

少しずつ養父は、弱っていった。

父のときとまったく同じ症状だった。

同じ症状――それがまずかったのだ。

ジョナサンがわたしの計画を暴くきっかけになってしまった。

『死んだあとの気がかりはひとり息子のおめえだけだ……いいかディオ』

『おれが死んだらこの手紙を出してこの宛名の人のところへ行け！』

『こいつはおれに恩がある……きっとおまえの生活の面倒を見てくれる』

なんとも物持ちのいいことというか……、ジョージ・ジョースターは、七年前にわたしが投函した、父からの手紙を、ずっと保管していたのである――それが恩人に対する礼儀だとでも思っていたのだろうか。

いや、違う。違うのだ。

そもそもジョースター卿は、ダリオ・ブランドーが、本当は恩人ではなかったことを……、ただの盗人だったことを、知っていたのだ。

わたしが恩人の息子ではなく、盗人の息子であることを知っていた――それでもなお、彼はわたしを引き取ったのである。

さすが『与える者』はやることが違う。

きっと母が貴族だったなら、同じことをするのだろうと思う――そう思うと腹が立つばかりだ。

話が逸れかけてしまったが、つまり、ジョージ・ジョースターがダリオ・ブランドーからの手紙を保存してあったのは、恩人ゆえと言うよりは、人からの私信を捨てたりはしないという、紳士としての彼の習慣だったのだろう。

屋敷が広くてこそ可能な芸当だが。

わたしが投函する時点で、既に封筒には封がされていたので、手紙の内容をわたしは知らなかったのだが、あろうことかわたしの父は、自分の病状を、その手紙の中で記していたのである。

手紙の内容はこうだった。

『私は今…病にあります』

『たぶん死ぬでしょう、わかるのです』

『病名はわかりませんが、「心臓がいたみ」「指がはれ」「せき」が止まりません』

『私が死んだらどうか息子のディオを引き取ってやってはもらえませんでしょうか』

『私に似ず優秀な息子なのです。きっと、あなた様に迷惑をかけるようなことにはならないでしょう』――いや、後半のたわごとはどうでもいい。

問題は、前半に記された病状が、ジョースター卿のそれと、まったく同じだということだ――当然だ、同じ毒薬を、しかも同じ人間から呑まされているのだから、症状が食い違うことのほうがおかしい。

ジョナサンは偶然、この手紙を見つけた。

聞いた話では、あの石仮面の研究をしている最中のことだったという。とすると、なんだか、石仮面が意思を持ってわたしの計画を露見させたというようにも思える――わたしをその後、吸血鬼とするために、石仮面自身がわたしを求めたかのように。

……いや、それはいくらなんでも、出来事を物語のように見過ぎというものか。ただの物質である石仮面にそんな意思などあるはずもない。

わたしが不手際だっただけの話だ。

とはいえ、わたしの不手際は不手際として認めるとしても、しかしジョナサンの疑い深さも大したものだとわたしは思う。

父と養父の症状が同じだったからといって、何だというのか……、同じ病気というだけのことかもしれないではないか。

その後、わたしが父の薬を毒と入れ替えるところを見られてしまったわけだが、しかしそれ以前に、わたしに対する疑いを彼は固めていた。

つまり、七年前……、わたしが屋敷に来てしばらくの間行っていた、彼に対する嫌がらせが、そしてエリナに対する行為が、……それに、彼の友人でもあった猟犬、ダニーに対してわたしがしたことが、ずっと彼の中で、消えることなく燻《くすぶ》っていたということなのだろう。

表面上友人として、そして家族として仲良くしていたわたしとジョナサンだが、そこには友情も、家族愛も、何もなかったということだ。

彼はわたしに疑いしか持っていなかった。

七年前、激情にかられてジョナサンに対して攻撃的になってしまったのは、返す返すも失敗だった——それがなければ、呑気《のんき》で平和な性格だったジョナサンの眼など、簡単にかいくぐれただろうに。

叩けば叩くほど成長するタイプのジョナサンを、わたしは不用意に叩き過ぎたのだ。

……それにつけても、わたしのミスや、ジョナサンの成長はあるにしても、一番業腹《ごうはら》なのはそのどちらでもなく、やはり他ならぬ父だった。

あの父は。

わたしに何も遺さなかったあの父は——死してなお、わたしの邪魔をするようだった。

あれから百年過ぎた今でも、いくら考えてもわたしには父の意図がわからない。その手紙に、どうして自分の症状まで詳細に記す必要があったのか……。

それは悪意さえ感じる筆致だった。

『お前は所詮おれの息子なんだ』

そう言われている気分になった。息がかかるほどの耳元で囁かれているようで、脳が腐りそうだった。後に脳に刺さることになる石仮面の骨針よりも深く、突き刺さるような囁きだった。

『ディオ！　紳士として、きみの実の父ブランドー氏の名誉にかけて誓ってくれ！　自分の潔白を！――』

ジョナサンのそんな言葉に、わたしは激昂した――してしまった。

七年間周囲を欺《あざむ》き続けてきたように、そこで頷いていればよかったものを。演技なんて全く必要ない。ほんの少しあごを下に向けるだけでよかったものを。それだけであのお人よしは納得しただろうに、どうしてわたしは――いや、その点においては何の後悔もないと言わざるを得ない。

父の名誉？

そんなものは存在しない。

存在しないものにどうやって誓えというのだ――自分には名誉ある父がいるからといって、酷いことを言う男もあったものである。

あれで紳士を目指しているというのだから。

24

『タワー・オブ・グレー』が敗北したそうだ。

わたしの『ザ・ワールド』を除けば、能力を発動させた『ザ・ワールド』を除けばスタンド史上最速のスピードを誇る、『タワー・オブ・グレー』が敗北した。これは由々しき事態と言えた。

想像を絶する事態とも。

とはいえ、『タワー・オブ・グレー』はジョースター一行が乗っていた飛行機を墜落させることには成功したらしいので、任務としては、半分以上、上首尾だったと言っても差し支えなかろう。

『タワー・オブ・グレー』に襲撃を受けようと、乗っている飛行機が落ちようと生き残る彼らには、それでも驚きを禁じ得ないが……、しかし、一般人を巻き込むことを嫌うだろうジョースター家の性格からして、もう彼らは飛行機を使わないはずだ——陸路か、海路を使ってくるはず。

これで稼げる。『天国へ行く方法』を模索するための時間が稼げる。

プッチがエジプトに到着するのは間もなくだ——その間、ジョースター一行には、新たなる刺客を差し向けておくことにしよう。

わたしは、既に派遣しているジャン・ピエール・ポルナレフ――『シルバーチャリオッツ』のスタンド使いに加え、彼らが海路を使ったときのために、『ダークブルームーン』を送ることに決めた。これで不安の芽は摘んだはずだ。

もしも彼らまでが倒されるようなことがあれば、わたしが自ら向かうしかなかろうが……。

それにしても、『不安の芽』はさておくとして、『肉の芽』から解放された花京院典明のスタンドパワーには舌を巻く。なぜなら『タワー・オブ・グレー』を倒したのは彼だというのだ……わたしの手元にいたときの、わたしの配下だったときの彼には、それはできなかった芸当である。

これは特記事項だ。

やはり通常の人間ならばともかく、『肉の芽』によって、スタンド使いをこのディオに従属させるやりかたには構造的欠陥がある。そう解釈せざるを得まい。精神的に弱い生き物はスタンド使いとしても弱い。精神に干渉し、自我を弱める『肉の芽』は、スタンド使いには不向きなのだ。

善人を部下にするのは難しい。

やはり『悪』だ。

ンドゥールのような――あるいは百年前の、切り裂きジャックのような。
配下に置くべきは、善のタガを持たない、『悪』。
同時にそれは、36の、悪の魂を集めることにも繋がるだろう。

25

プッチと会う。

エンヤ婆やダービー弟に気づかれないよう、屋敷の外、つまりは別のアジトでの面会となった――彼に質問したかったことについては、残念ながら、あまり芳《かんば》しい答が得られなかった。

エンリコ・プッチ、『弓と矢』によって目覚めた彼のスタンド能力は『ホワイトスネイク』という、わたしが知るあらゆるスタンドの中でも、群を抜いて特殊極まるものだ。

記憶とスタンドを対象の体内から抜き取るという、驚異のスタンド能力――戦闘向きのスタンドとは言い難いが、『魂』を操るダービー兄弟のスタンドと比べても見劣りしない、極めて有用なスタンドである。

そう、記憶とスタンド。

そんな風にふたつに分割されていたから、このディオも、これまでそうは考えてはいなかったが、しかしそのふたつを合わせてみれば、できあがったひとつを『魂』と言い換えることも可能だろう。

ならば、勝負して勝利しなければ『魂』を抜き取れないダービー兄弟のスタンドよりも、プッチのスタンドは更に『天国行き』向きのスタンドかもしれない。

その彼に訊いたわけだ。

わたしは彼にこう訊いた。

『きみが、対象から抜き取った記憶やスタンドを、もしも別の人間に差し込んだらどうなるか？』

つまり、人は同時に、ふたつの記憶、ふたつのスタンドを持つことが、一般的に可能なのかどうかという意味の質問だ。このディオのように、物理的にふたり分の肉体を持っているから、スタンドをふたつ持っている、というようなことではなく、だ。

返答は、

『それ自体は可能だよ、ディオ』

だった。

スタンドの本体であるプッチが抜き取った記憶を読み取れるのは当たり前としても、抜き取ったその記憶を『差し込めば』、誰でもその記憶を『読み取る』ことができるらしい。

スタンドも同様だ。

もちろん、もともとの本体同様に使いこなすというわけにはいかないが、『ホワイトスネイク』の能力によって抜き取ったスタンドを『差し込まれた』ら、ただの一般人であれ、あるいはスタンド使いであれ、『差し込まれた』スタンドを使用することはできるらしかった。

それはわたしにとって、いい情報だった。いいというのは一応用心して言った表現で、内容的にはほとんどベストと言ってもよかった。

記憶やスタンドを複数所有できるというのならば、魂を複数所有することもまた、できるはずだ――わたしの心は躍った。

しかし、プッチはその後に続けて、

『だが、ディオ』

と言った。

『それにも限度はある――一度に差し込める「ディスク」は基本的に「ひとり一枚」だし、無理をしたところで、五枚がやっとだろう――きみがどうしてそんなことを訊くのかはわからないが……』

五枚。

五人分。

それでは駄目だ。

36人の魂を、ひとりの身体に詰め込むことができなければ――天国への扉は閉ざされる。

プッチのスタンドがなまじわたしの目的に、あつらえたようにぴったりなそれであっただけに、失望感は大きかった。

だが収穫もあった。

実のところ、もともとそれがあってわたしはプッチとの面会を望んでいたのだが……、彼には資格があるかもしれないのだ。

わたしが考えるところの、『天国へ行く方法』を実践する資格が。

天国に行く資格が――彼にはあるかもしれない。

『ぼくは自分を成長させてくれる人間が好きだ。きみは王の中の王だ。きみがどこへ行きつくのか？　ぼくはそれについていきたい。神を愛するようにきみのことを愛している』

プッチのそんな言葉を思い出す。

彼はきっと気高い聖職者になるだろう。

だが、ついていくのはプッチではなく、わたしのほうかもしれない――彼が天国に行くのに、わたしがついていくのだ。

26

うっかりしていた。このディオとしたことが。

プッチがアメリカに帰ってから気づいた――確かに人間ひとりの身体に、ひとつふたつならともかく、大量の『魂』――記憶やスタンドを押し込むことは不可能なのかもしれないが、しかし、思えばこのディオは、人間ではない。

百年前に人間をやめている。

石仮面をかぶり、人間をやめている。

かの仮面から突き出た骨針で『脳を押され』、いわゆる『人間』とは比べものにならないほど強靭な肉体を得ている。

わたしならば『ホワイトスネイク』の『ディスク』を、いくら差し込まれても平気なのではないか？　少なくとも人間よりはずっと、耐性があるはずだ……。

昨日のうちに気づいていれば、実験できたのに……いや、危ういか？

わたしの身体はまだ馴染んでいない。

ジョナサンの部分が――『人間の部分』が多過ぎる。

実験を行うとすれば、もっと後だ――若い女の生き血をすすり、あるいは、ジョースター家の人間の血をすすることで、ジョナサンの身体を完全に馴染ませて、そしてそれから実験を行うべきだ。

石仮面が残っていれば、新たに吸血鬼を生み出すことができるから、そいつを使って実験すればいいのだが、石仮面はどうやら現存していないらしい……世界中を引っ繰り返せばどこかにはあるのかもしれないが、その所在はとにかく不明だ。

ゾンビでは駄目だろう。

同じ不死身、不老不死とは言っても、あれはゾンビ化してしまった時点で『魂』のない死体のようなものだ。それでは意味がない……いや。

魂のない死体だからこそ、ということもあるのだろうか……百年の眠りから復活して以来、長らくゾンビを作っていないが、ひとりふたり、試しに作ってみるとしよう……。

いずれにしてもプッチにはまた連絡を取らなければならない。

数年前に既に知り合っていた彼が、わたしの、

『まだ見ぬ友』

だったのだとすれば。

27

『シルバーチャリオッツ』と、『ダークブルームーン』が返り討ちに遭ったという——しかも、『シルバーチャリオッツ』の本体であるところのジャン・ピエール・ポルナレフは、『肉の芽』で支配していたスタンド使いだったのだが、例によって空条承太郎のスタンド、『スタープラチナ』でそれを引き抜かれてしまい、彼らの仲間になってしまったらしい。

花京院典明に続き、またしても惜しいスタンド使いを敵に回してしまった……ところで、『肉の芽』を引き抜かれ、このディオに対する忠誠心を失ってしまうのは仕方ないにしても、しかしどうして、どういう理由で、彼らはその後、ジョースターの仲間になってしまうのだろうか？

特にポルナレフだ。

妹の仇《かたき》を討ちたいだけならば、彼らの仲間になるよりも、わたしの部下でいたままのほうがたやすかったろうに……。

操られたという、恨みや怒りだろうか？

人格や人権を踏みにじられたという気持ちが、彼らを駆り立てるのだろうか？

だとすれば、ますます、『肉の芽』の使用は、今後、控えなければなるまい。

既に使ってしまった分に関しては、どうしようもないとして……もともと、支配するためだけに開発した能力だから、解除できない方法を考えこそすれ、解除の仕方なんて設定していなかった。

とにかくこれ以上、部下を削られるわけにはいかない——『天国に行くため』に集めた多くのスタンド使い達を、わたしはこれ以上失うわけにはいかないのだった。身体はまだ馴染んでいないが、こうなれば四の五の言ってはいられなかった。

だからわたしは、この際直々に、ジョースター達を始末しに行く決意をした。

したのだが、エンヤ婆の先走りによって、それはできなくなってしまったと、ここに記さなければならない。

『侮れないというだけで、わざわざディオ様が出向かれるおつもりなのですか？』

『くだらぬ！　あなたはそのようなくだらぬ行動をしてはならないおかたじゃ！』

いつものようにそう言って、既にエンヤ婆は、七名のスタンド使いを、刺客としてジョースター一行に差し向けたと言った。

余計なことをしてくれたな、とは言えなかった。

そう叱ることで、わたしの『目的』をあの老婆に知られたくはなかった——やはり彼女にとって、それは、同じように『してはならない』ことなのだろうから。

さて、どうしたものか。

エンヤ婆が送り込んだという七名のスタンド使いは、幸い、『肉の芽』で支配しているタイプのスタンド使いではない――もしも返り討ちに遭ったとしても、あちらに寝返るということはないだろう。

それに、もしも彼らがジョースター一行を始末できるのならば、それもよし……というか、それに越したことはない。何もわたしは、直接手を下して『スカッ』としたいわけではないのだから。

今のところ、不都合は起きていない。

エンヤ婆が、わたしの動きを察しかけているかもしれないということを除けば――何も不都合は起きていない。

28

無事にアメリカに帰り着いたらしいプッチと、早速連絡を取った。わたしは動けそうにないから、もう一度、都合がつくときに来てくれと頼んでおいた——百年前に比べて地球も随分狭くなったものだが、それでもアメリカからエジプトまでは、人間にとっては楽な旅程ではない。

しかしプッチは嫌な顔（嫌な声？）ひとつせず、ふたつ返事でＯＫしてくれた……、そんな彼の受け答えを聞いていると、やはり、

『彼こそが』

という気になってくる……むしろ、どうして今までそう思わなかったのかが不思議なくらいだ。百年前、ジョナサンを親友と呼んでいた経緯から、わたしは友情に対して慎重になっているのかもしれない。

もっとも、慌てなくていい。慎重なくらいで丁度いい。

本当にそう思うし、だから彼にもそう言った——急がなくてもいい、と。プッチの信仰の邪魔をするつもりはない。思う限り、厚く信仰して欲しい。母のように、愚かしくない限りにおいては。

既に彼には、わたしの『骨』を渡してある。
いざとなれば、あれが力を発揮してくれることだろう。

29

人と動物との違いはなんだろうか？

どちらにも『魂』はある。

知恵もあるし、技術もある——人間だけにしかないもの、もっと言えば、人間を人間たらしめるものとはなんだろうか？

生物学上の分類など、実は学者が勝手に決めているだけで、あまり意味がない——わかったような顔をして好き勝手にカテゴライズして、それに当てはまらない中間の生物が現れたときに、頭を抱えることになるのだ。

結局、どう分類したところで、そんな分類はすぐに崩れてしまう——人と動物、どころか、あらゆる生物は——となれば同じものなのかもしれない。

そんな話をした。

昨日電話したとき、わたしはなんとなく、本当になんとなく、そんな話を振った。

振られたプッチは——エンリコ・プッチは、こう言うのだ。

『人と動物との違いは、「天国へ行きたい」と思うかどうかだよ、ディオ』

『人はみんなそう思う』

『動物にはその概念はない――人は「天国」へ行くために、その人生を過ごすべきなんだ。それが人間の素晴らしさなんだよ、ディオ』

断っておくが、わたしから彼に『天国』についての話を振ったわけではない――彼が自分からわたしに、自発的にその言葉を口にしたのだ。

それをもって『暗示的』とするのは、いささか牽強付会《けんきょうふかい》が過ぎるだろうが……しかしそれでも、少しでもそこにヒントがあるとするのなら、わたしはアプローチをしなければならない。

引力。

人と人との間に働く引力があるとすれば――わたしとエンリコ・プッチの間には、どのような引力が働いているのだろうか。

わたしとジョースター家に強い因縁があるように、もしもわたしとエンリコ・プッチの間に強い運命があるとするのならば。

必ず彼こそが天国への案内人になってくれる。

次に会ったときには、彼には私の部下のスタンドを、いくつか分け与えておくことにしよう……、念のためだ。

いや、適材適所と言うべきかもしれない。

ジョセフ・ジョースターや空条承太郎は、それにアヴドゥル、花京院、ポルナレフといった面々は、あくまでも『侮れない』というだけであって、脅威だとは思っていないが、しかしわたしは既に、そう思っていた相手に、ジョナサン・ジョースターという貧弱な男に、三度敗北している。

一度目は殴られ。

二度目は燃やされ、貫かれ。

三度目もまた、燃やされ、貫かれ。

四度目は——痛み分けだったが。

認めなければならない。

結局わたしは今のところ、ジョースターの血統に、一度として勝利していないのだ——ジョナサン・ジョースターに対して負けっぱなしなのだった。ならば万が一の事態に対して、備えをしておかないわけにはいかない。

30

天国に行く方法には、これは直接関係のないことかもしれないが、ここら辺で、一度、石仮面についての詳細を記しておく必要があるだろう。

このノートを読む誰か――今のところ、それはエンリコ・プッチになる可能性が高いが――が、それについて何の前知識も持っていなければ、わたしの話を理解しづらいかもしれないから。

石仮面は、ジョナサン・ジョースターの研究テーマだった――奴は石仮面についての論文を元に、考古学界に打って出るつもりだったのだ。

奴が記録していたノートを盗み見ただけなので、わたしもまた、あの仮面について詳しい由来を知っているわけではないのだが……それでもわかっている限りのことを書いておこう。

古代、太陽の民、アステカ。

十二世紀から十六世紀にかけ、メキシコ中央高原にあった王国――その王国に伝わる奇跡が、『石仮面』だったというわけだ。

もっとも石仮面は、彼らに『伝わっていた』というだけで、彼らが作り出した秘宝というわけではないようだ――その証拠に彼らは、石仮面を扱い切ることができずに、滅んでしまった。

後には石仮面だけが残った。

人づてに聞いた話では、その石仮面を発掘したのが、ジョナサン・ジョースターの師、ツェペリ――ウィル・A・ツェペリの一行だったらしい。

ツェペリ一行といい、わたしを海底から救い上げたトレジャーハンターといい、宝探しが好きな連中は、いつもとんでもないものを引き当ててしまう――それもまた、引力と言うべきなのかもしれないのだが。

彼らが引き当てると言うよりは、引き寄せられているだけ――とか。

実際、ツェペリ一行は、その石仮面の力によって、間抜けなことに彼ひとりを残して全滅してしまったという――その際、石仮面はまたも失われたのだ。

全滅は、海上での出来事だったそうだから、普通に考えれば石で出来ている石仮面は、海の底へと沈んでしまいそうなものだが、しかし何の因果か――どういう経路をその後辿ったものなのか、再び歴史の表に現れる。

今度はそう間を置くこともなく。

それもあっけなくだ――ジョナサン・ジョースターの母親が、ロンドンを旅行している最中に、美術商から買ったというのだ。

ジョナサン・ジョースターの母親。

その母親は、旅行の帰りに馬車が起こした事故で死んでしまったというから――そこをわたしの父が、『救助』したということになっているのだが――当然、わたしはその女性に会ったことはないけれど、しかし、事故の際、まだ赤子だったジョナサンを抱きかかえ、庇《かば》うように死んでいたというのだから、その性格は推《お》して知るべしというものだ。

きっと、気高く、誇り高く。

聖女のような母親だったのだろう。

母のような母親だっただろう。

……まあ、あんなおどろおどろしいデザインの仮面を気に入って購入するあたり、一筋縄ではいかない女であったことも確かだろうが。

もしも彼女が、その事故とやらで命を落としていなければ――わたしがジョースター家に引き取られたときに、まだ存命であったならば。

彼女がわたしの養母になっていたならば。

わたしの人生も、また違うものになっていただろうか――そんな風に思ってみるのも、思考遊戯としては少し面白い。

きっと母に似ていただろうその女は、わたしのような悪童をどのように育てたことだろう――結果としてはどうせジョージ・ジョースターと同じように、わたしに殺されていいただけのことだろうが。

ちなみにジョージ・ジョースターは、その仮面を妻の形見として、写真代わりとして長らく広間の壁にかけていたのだが、ジョナサンが研究に使うからと言って半ば自分のものにしてしまったときも、大して咎《とが》めることもしなかった。

思い入れがなかったはずがない。

愛した妻の思い出に、思い入れがなかったはずがない——ただ、きっとそのとき、ジョースター卿から、ジョナサンは、その石仮面を『受け継いだ』のだった。

『受け継ぐ者』。

ジョナサン・ジョースター。

……そしてその石仮面を、このディオが『奪った』というのだから、世の中というのはまったくうまくできている。馬鹿馬鹿しくなるほどに。

メキシコの遺跡に埋まっていた石仮面が、まるで引力に導かれたかのように、わたしの下へと辿り着いたというのだから。

こうしてみると、ジョースター夫人が亡くなったという馬車の事故も、案外石仮面が起こしたものではないかというような気さえしてくるから、不思議なものだ。

このあたりが切りがいい。

続きは明日書く。

31

石仮面の由来については昨日書いたので、今日はその奇妙な構造について書くことにしよう。

と言っても、込み入った説明が必要なほどに複雑な構造ではない――どころか、極めてシンプルだ。

石仮面に人間の生き血をかけると、その仮面の裏側から『針』が――ジョナサンはそれを『骨針』と記録していた。いい表現だと思う――飛び出し、仮面をかぶった者の頭部に突き刺さる。

ただ突き刺さるだけではない、その『針』は脳の奥深くまで達する。

ごく簡単に説明すれば、石仮面のシステムはそれだけだ――そしてジョナサンのノートに記されていたのは、ここまでである。

それ以上のことはジョナサンにはわかっていなかった――当然だろう、この『石仮面』にどのような効果があるのかを確かめようと思えば、人体実験を行うしかない。しかしジョナサンのような性格の人間に、人体実験など行えるはずがなかろう――だからジョナサンの研究は、そこで足踏みを繰り返していた。

石仮面の裏には、アステカの文字で何か文章が記されていたので、その解読からアプローチしていたようだが、芳しい成果は上がっていないようだった。

だがこのディオは、ジョナサンが行えなかった人体実験を、偶発的にとはいえ行い、石仮面の本質を知ったのだった。

今日は少し慌ただしい。

続きは明日だ。

32

少しノートをつける間が開いてしまった。

予想通り、という言い方をすると、エンヤ婆は気分を害するだろうが……、危惧していた通りに、刺客として差し向けた七人のスタンド使いが、ジョースター一行に次々と撃破されているのだという。

『ストレングス』。

『エボニーデビル』。

『イエローテンパランス』。

以上の三名が、再起不能のリタイヤへと追い込まれた。

厄介なことになった……『36』の罪人の魂を集めるという天国へ行くための過程を思えば、『エボニーデビル』や『イエローテンパランス』のような良心に欠けた男達も、今の時代ではかなり貴重な人材だった。それに人ならぬ動物のスタンド使い——つまりは動物にも『魂』はあるという生きた証拠となる、オランウータンのスタンド使い——『ストレングス』がやられてしまったのは、わたしの計画にとって大きなマイナスだった。

だからと言って、秘密裡に進めているこの計画のために、『ストレングス』だけ引き返させるなんて不審な行動を、エンヤ婆の前で取るわけにはいかなかった……。

無論致命的というわけではない。

いくらでも取り返しはきく。

『弓と矢』があれば、動物のスタンド使いを他に探すことはいくらでも可能だ――いや、『弓と矢』を使わなくとも、天然でも、動物のスタンド使いはいるかもしれないではないか。

噂では、『砂』のスタンド使いは――タロットカードの暗示でいう『ザ・フール』は、『犬』のスタンド使いだというし……。ただしその『ザ・フール』を、このディオの手下に引き入れるのは不可能だろう。噂が本当で実在しているとするならば、ジョースター一行のアヴドゥルがずっと昔に接触しているらしいから――さて。

そんなわけでノートの執筆が、最初に書いたように、いくらか開いてしまったわけだが――とりあえず懸念事項は後回しにするとして、復習の意味を込めて、先日の続きから書くことにしよう。

石仮面のことだ。

石仮面の構造の話――読み返してみれば、わたしがその本質を知ったのは、偶発的に行った人体実験の結果だったと書いてあるが、そもそもジョナサンが言うところの『骨針』のことに気付いたのも、偶然と言えば偶然だった。

エリナのことで激昂したジョナサンが、わたしに決闘を挑んできたとき――彼に手酷く殴られ、わたしは血を吐いた。

その血が偶然、本当に偶然、当時はまだ壁にかけられていた石仮面にかかったのだ――そして石仮面から骨針が飛び出して仮面は転げおちた。

かかった血液の量が少なかったためか、その針はすぐに引っ込んだ――だからジョナサンは、その現象を目にしたのは自分だけだと思ったらしいが、しかしこのディオも、彼に泣かされながらという極限まで惨《みじ》めな状況下ではあったが、しっかり目撃していたというわけだ。

わたしもジョナサンも、同じものを見ていた。

違うのは、ジョナサンはその現象の理由を探るために考古学の道を志したということ――わたしは、あの仕掛けはいつか使えるかもしれないと思い、胸に秘めたということだった。

まあ実際には行わなかった計画のことをここに書くのは、なんだか後付けじみていて気が引けるが、それでも記録は正確にしておかねばなるまい。

このノートを読むのがエンリコ・プッチや、それに類する性格の者であるならば、それでわたしのことを軽蔑したりはしないはずだ。

もしもそうされたなら、わたしに人を見る目がなかったというだけのことだろう。

簡単に言うと、こういう計画があったのだ。

ジョースター家の財産を乗っ取るためにわたしがしなければならないことは――『必要だからすること』は、何よりもまず、ジョージ・ジョースター、ダンディな紳士を気取ったあの養父を殺害することだった。

最終的な手段として、わたしは毒殺を選んだわけだが――その前段階で、石仮面を使った殺害を、わたしは思いついていたのだ。

就寝している彼に石仮面をかぶせ、血をかけて発動させる――脳に骨針が、それも何本も刺されれば、人は死ぬ。

少なくとも普通はそう思うだろう。

当時のわたしもそう思っていた。

ジョージ・ジョースターをそうやってあの世に送れば、当然、真っ先に浮かび上がる容疑者は、その石仮面を研究していた――そして石仮面の仕組みを知る『唯一』の人物である息子、ジョナサン・ジョースターということになる。

ジョナサンに容疑がかかり、そして立件されれば、もちろん彼には財産継承権がなくなり、残された養子のわたしがすべてを受け継ぐ――否、『奪い取る』ことができるという算段だった。

一見よくできた筋書きで、一時期はこの案で行こうとほとんど決めていたものだが、しかし考えを進めれば進めるほどに、この案には大きな欠陥があることに、わたしは気づかないわけにはいかなかった。

当主であるジョージ・ジョースターを跡取り息子のジョナサン・ジョースターが殺した、しかも凶器を使って計画的に殺したとなれば、ジョースターの家名が地に落ちるのは火を見るよりも明らかだった。

貿易商としての仕事も、きっとなくなってしまっていたことだろう。

わたしはジョースター家の財産だけが欲しかったわけではないのだ——名誉や名声も欲していたのだ。少なくとも悪名に満ちた、評判の悪い家名などを引き継ぐつもりなどなかった。

だからこの案は放棄して、やはりジョージ・ジョースターには、毒で死んでもらうことにしたわけだ——経験のある方法が一番だと、そのときは思ったのだ。ジョナサンは、ほとぼりが冷めた頃に、遺跡で事故にでも遭ってもらえばいいと、そんな風に考えて。

だがしかし、いっそそのプランでいくべきだったのか……。

あの手紙のことがなくとも、養父を殺すときに、父を殺したときと同じ手段を選んだということが、いささか短絡的だっただろうか？

いや、違う。

わたしのミスは——ミス自体は色々あるが、最大のミスは、先に殺すべきは、ジョージ・ジョースターではなく、ジョナサン・ジョースターのほうだということに気づかなかったことだ。

だが、結局彼を先に殺害することを決意したのは、わたしの計画が概《おおむ》ね露見したそのあとのことだというのだから、我ながら間が抜けている。まさか彼に対し本当に友情を感じていたわけでもあるまいに……。

ともかく。

わたしは露見した事実の隠蔽《いんぺい》のため、ジョナサン・ジョースターを殺害するにあたって、その計画を、一部復活させることにした。

石仮面を使って。

ジョナサン・ジョースターを殺すことにした。

続きは明日、いや、明日は少し立て込んでいるので、また後日だ。

ジョースター一行のせいで計画は順調に遅れている。

33

エンヤ婆がジョースター一行に差し向けたスタンド使いは、残るは四名。

『エンプレス』。

『ホウィール・オブ・フォーチュン』。

『ハングドマン』。

そして『エンペラー』だ。

『エンプレス』と『ホウィール・オブ・フォーチュン』はともかくとして……、『ハングドマン』のJ・ガイルは、さすがエンヤ婆の息子と、このディオをして言わしめるあの性悪さは得難い才能だし、『エンペラー』のホル・ホースの飄々《ひょうひょう》とした、善にも悪にも属さないあの性格は、あまり天国に行く方法にこそ関係がなさそうだが、個人的な好みとして、捨てがたいものがある。

正直に言うと、彼らを失いたくはない。

むろん、J・ガイルとホル・ホースのコンビならば、ジョースター一行を倒せる公算は、はっきり言って大きい。

このディオはそう予想する。

これまで、わたしとエンヤ婆が差し向ける刺客が、立て続けにジョースター一行に返り討ちに遭っている理由を考えてみると、これが意外と明確で、それは単純に人数の差である。

彼らはチームで。

こちらの刺客は単独犯だ。

この差は、スタンドバトルにおいては実は大きいのではないか——いや、あえてここで大胆にも断言してしまうが、普通の人間同士の戦いにおいても、基本的には人数差がすべてだ。

スタンドバトルにおける問題は、スタンド使い同士はタッグを組みづらいという点である——大抵のスタンド使いは、自分の能力を隠したがる。

隠したがる、と他人事《ひとごと》のように言うが、わたしの『ザ・ワールド』の能力を知る者も、実際のところごくわずかだ。

エンヤ婆、ダービー兄弟、他数名……プッチには、この間教えたか。

隠すのは、隠したがるのは、『能力』は、そして『長所』は裏返せばそのまま『弱点』と『短所』に直結するからである——チームを組むとなると、その『能力』を、即ち弱点を、チームメイトに教えないわけにはいくまい。

しかしだからと言って、誰だって自分の弱点を公開したくはなかろう。

だからどうしてもスタンド使いは、単独行動が多くなってしまうのだ――わたしだって、部下の能力をすべて把握しているわけではない。

一応わたしをトップとした組織を組んでこそいるが、たぶん誰もが、切り札を隠し持っていることだろう――それに、根本的な問題として、スタンドを持つ人間は多くの場合、その能力で増長してしまって、自分以外の人間を見下しがちだ。

ジョースター一行のように、スタンド使いでありながら集団で行動できる人間は極めて珍しい。

わたしが知る限り、チームで行動するスタンド使いは、血の繋がった兄弟であるところのオインゴとボインゴ――そして、スタンド使いの中では珍しく他人を見下さない男――ナンバーワンよりもナンバーツーであろうとする男、即ち、ホル・ホースだけだ。

だからこそ強い。

ホル・ホースと、彼が祭り上げるエンヤ婆の息子、J・ガイルのコンビは強い。

彼らならば、ジョースター一行を完全に始末してくれるかもしれない――ましてJ・ガイルは、あの裏切り者、ポルナレフの妹の仇でもある。

つまりポルナレフは単独行動に出る可能性が高い――そんな彼の離反が原因で、彼らのチームワークに亀裂が入れば、あるいは。

吉報を待とう。

ジョースターの血液が届くのを、待とう。

34

　エンヤ婆から作戦の発案があった。

　それは聞くに値する発案だった。

『ディオさま。今、わしの息子と、その親友がジョースター達を狙っておりますが——その裏で進めたい戦略がございますじゃ』

『連敗してはおりますが、わしらが差し向ける刺客のスタンド使いが奴らにダメージを与え、気を緩める暇も与えておらんのは確かじゃと思います』

『今、奴らは自分の身の安全を考えることだけで精いっぱいでございましょう——ならば、奴らの本拠地には今、隙が出来ておるものじゃと思います』

『本拠地、つまりは日本ですじゃ』

『空条ホリィは今、スピードワゴン財団の保護を受けておりますが、連中の中にスタンド使いはおりません——唯一のスタンド使いであるホリィは、そのスタンドを制御できておらんわけですし』

『つまり今なら、その女を始末することは——ジョースター家の女を始末することは可能じゃと思います』

『そして始末した上で、その死体をこのカイロまで空輸させ、ディオさまがその死体から「ジョースターの血」を吸血なされば――そのジョナサンの肉体も、一層早く馴染むのではないでしょうか』

『救おうと意気込んでおる娘、または母親が殺されたとなれば、ジョセフ・ジョースターも、空条承太郎も、気力を失い、戦う気をなくした抜けがらとなると思われますが――如何《いかが》ですか?』

『既に現地に数名のスタンド使いを派遣しておりますじゃ』

『あとはディオさまがゴーサインを出してくだされば、いつでも空条ホリィを殺してご覧に入れます――どうか、ご勘案くだされ』

さすがはエンヤ婆、いい案だった。

このディオではとても思いつかないくらい、陰湿で悪どい案だ――悔しいが、年の功と言うべきだろう、こういうことを考えさせればあの老婆は、このディオよりも一歩も二歩も先を行く。

わたしは百年生きているが、あの老婆はひょっとするとそれ以上の期間、生きているのではないかと思わせるほどの悪知恵だった。

父が可愛く見えるほどの下衆さである。

母や、エリナのような聖女よりも、よっぽどわたしの好みだった――もう少し、いや少しではとても済まないだろうが、もっと若ければ、『天国に行く』ために、彼女との間に子供をもうけたいくらいだった。

一応返答は保留したが、しかし実のところ、わたしは折角のこの発案を、退けるつもりである。

うまくはまれば――十中八九、うまくはまるだろうが――最高の作戦だが、しかし、星のめぐりあわせが悪く、うまくはまらなかった場合、つまり下手を打った場合、大変な事態を招くことになる。

わたしが迂闊《うかつ》に、エリナに手を出したために――ジョナサンを成長させてしまった。あの坊ちゃんを、わたしを打倒しうるところまで、成長させてしまった――おそらくは名前通りの聖女であろう空条ホリィに迂闊に手を出せば、ジョセフ・ジョースターや空条承太郎に同じことが起きないとも限らないではないか。

聖女には手を出さないのが吉だ。

当然、最終的にはその血液を、このディオがいただくにしても――順番を誤ってはならない。

同じ間違いを繰り返してはならない。

ジョージ・ジョースターよりもジョナサン・ジョースターを先に殺すべきだったように、空条ホリィよりも先に、わたしはジョセフ・ジョースターと空条承太郎を始末しなければならないのだ。

エンヤ婆はがっかりするだろうが、この埋め合わせは他でするとしよう。今はただ、彼女の息子からの吉報を待てばいい。

35

またしても間が開いてしまったが、先日からの続きだ。

百年前の思い出語りだ。

わたしはジョナサン・ジョースターを殺すことに決めた――石仮面を使って、同じ家で兄弟のように育ってきた、法律上でも実際に兄弟であるあの男を、殺すことにした。

ジョージ・ジョースター殺害計画が露見したから、というのがその理由だが、しかしもしもそれが露見していなかったとしても、いずれは殺さなければならない相手だったのだ。

だからわたしは、

『必要なことをするだけ』

だった。

必要なこと。

何の感情もなかった――どんな人間的葛藤もなかった。わたしが人間をやめるのはこの数日あとの話だが、しかし考えてみればこのときには、わたしはもう、人間をやめていたのかもしれない。

……というより、そもそもこのわたしに、人間だった時代、などというものがあるのだろうか？

　あのどん底の街での暮らし——愚かしい母と、下衆な父との暮らしのいったいどこに、人間らしさがあったというのだろう。

　生き馬の目を抜くあんな世界には、ひとりだって人間はいなかった——母の振る舞いもまた、人間らしいそれだったとは言えまい。

　否。

　プッチの言うよう、

『天国に行こうと願うこと』

　こそが、人間の人間らしさだというのならば、母はやはり人間だったのだろうし——人間性など微塵《みじん》も残っていないはずの吸血鬼、現在のディオも、やはり人間ということになるのか。

　突き詰めてみると面白そうな哲学だが、しかしここではあくまで、事実のみを記そう。

　結局わたしは、石仮面でジョナサンを殺すことにも失敗したという、事実のみを記そう——こうしてみるとこのノートは、わたしの失敗談ばかりが詰まった代物になりそうだが、なに、どれほど失敗に失敗を重ねようと、最終的に勝てば、それでよかろうなのだ。

　そもそも石仮面は、殺害用の道具ではなかった——血をかければ脳をめがけて針が飛び出すなど、まるでアイアン・メイデンにも似た古代の拷問器具だとばかりわたしは思っていたのだが、そうではないということに、わたしはぎりぎり、本当にぎりぎり、すんでのところで気が付いたのだ。

ジョージ・ジョースターの殺害に、あの石仮面を使っていなくて本当によかった。

ジョナサンが、わたしが父の殺害、そして養父の殺害未遂に使用した東洋の秘薬の出所を求めて、命知らずにも食屍鬼街《オウガーストリート》に出向いている最中のことである――わたしは夜の町を徘徊《はいかい》していた。

酒瓶を片手に徘徊していた。

計画が露見し、そしてジョナサンがわたしの計画の証拠をつかもうと動いていると思うと、呑まずにはいられなかった。

しかし呑めば呑むほど、気分は荒れる一方だった――あのクズのような父親と同じように呑んだくれている自分に、荒れるばかりだった。

自己嫌悪に溺れそうだった。

もちろん証拠をつかもうがつかむまいが、ジョナサンを殺す決意は揺るがない――食屍《オウガー》鬼街《ストリート》から、生きて帰ってくる可能性が薄いこともわかっていたが、そんな『気休め』では、私の心は、あまり安らがなかった。

既に計画は狂っている。

わたしの人生は狂っている。

七年かけて――それ以上の歳月をかけて積み立ててきたディオという人間の将来は、既に音を立てて崩れかけている――それを思うと、石仮面でジョナサンを殺したところで、事故に見せかけて殺したところで、大した意味がないような気さえしてきたのだ。

そんな風に荒れているとき、わたしは行く手から来た二人組にからまれてしまった。普段なら相手にもしない連中だし、そんな風にからまれるのは幼少期を思い出せば慣れたものだったので、最初はスルーできそうだったのだが、男達が放った言葉が、このディオを激昂させた。

『ぎゃはははは！　こらあ！　聞いてんのかケツの青いガキがよー！』

『ケッ！　ヨタヨタしやがって』

『外出のときはママに付き添いしてもらいな！』

ママ。

母親――母。

その言葉に、気づけばわたしは、酒瓶でそいつの頭を殴りつけていた。

……少し文章が乱暴になってきた。

続きは明日にしよう。

わたしが行った人体実験の話は、明日に。

36

今のところジョースター一行が、J・ガイルとホル・ホースのコンビに襲撃され、どうなったのかという報告は入っていない――だから素直に昨日の続きを書けることを嬉しく思う。

最近は奴らに引っかき回されっぱなしだった。

もっともそのお蔭で、百年前を思い出しやすくはなる――こんなすっきりしない気分は、実に百年ぶりだから。

男達の『からみ』に激昂したわたしは、彼らを手加減なくぶちのめした。そのような喧嘩をしたことは、ジョナサンと殴り合った七年前からなかったが、しかし子供の頃、身体で覚えた技術は、いつまで経っても忘れないものだ。

とはいえ、二対一という人数の不利は否めないので、わたしはまずひとりをぶちのめし、その後、もうひとりを片づけることにした。

スタンドバトルであろうとなんであろうと、喧嘩においては人数がものを言う――ならば一対二を、一対一かける二にする。

ストリートファイトの、これは基本のようなものだった。

そしてわたしは、二人目に、ジョナサンを殺すための『凶器』として持ち歩いていた石仮面をかぶせたのだった。

そして、蹲《うずくま》っている最初のひとりにナイフをぶっ刺し、その血を石仮面に浴びせた——強いて言えば、これがわたしにとっての、『二枚目のパン』ということになるのだろうか？『二枚目のパン』、そして『三枚目のパン』。

やはり味気なかった——これに関して言えば、自らナイフや『石仮面』を使って、かなり直接的に殺したにもかかわらず——父を殺したそのときよりも、実感はなかったと言っていい。

まあ仕方あるまい。

それこそ父と同じになってしまうが、このときの殺人は——『人体実験』は、酒の勢いで、酔った勢いでやったと言われても、仕方のないことだからだ。実際、酔ってでもいなければ、あんな道端で、天下の往来で、わたしはあからさまに殺人を犯したりはしなかっただろう。

しかし、酔った勢いも、ごくまれにはいいこともある——あそこでこの殺害行為に及んでいなければ、わたしは、おそらくは予定通りに、ジョナサンにこの石仮面をかぶせていただろうから。

もしもそうしていたらと思うと、ぞっとする——いや、ぞくぞくする、というのが、この場合、正しいだろうか？

このディオと、あのジョナサンの運命が逆転していたかもしれないという可能性――それは考えるだに、面白いものだ。

不死身の吸血鬼になっていたのはジョナサンだったかもしれないし――それを退治するための波紋戦士になっていたのはディオだったかもしれない。

交差する運命。

逆転する運命。

……もちろん、想像すれば面白いというだけの話で、実際、そんなことにはならなかったし、なっていたら、たまったものではないが。冗談でないという言葉が相応しい。

とにかく、その人体実験の結果だ。

血を浴びた石仮面は、瞬間で骨針を突き出した――骨針は、男の脳を貫いた。その瞬間、石仮面が光った。

眼もくらむようなまばゆい光を放ったのだ――いや、これは錯覚だったのかもしれない。

少なくとも当時のわたしは最初、そう判断した。

すぐれた絵画や彫刻は、それ自体が輝きを放つように見えるというが、それと同様に感じただけのことだろうと思った――だが、そうではなかった。

骨針が頭に食い込み、即死したと思われたその男は、わたしが喧嘩の最中に脱げてしまった帽子を拾おうと背を向けた、そのわずかな間に起き上がり――わたしへと襲いかかってきたのだ。

すさまじいパワーで。

若返った肉体で。

痛みを感じない身体で。

かすっただけで鎖骨を砕かれるような、ありえない攻撃力で――わたしを殺しにかかってきた。

いや、違う。

彼はわたしを殺そうとしていたのではない。

彼はわたしを、食べようとしていたのだ。

実際、もしもあと数秒、太陽が昇るのが遅ければ――わたしはおそらく、わたしが生み出してしまったその吸血鬼の『最初のパン』になってしまっていただろう。

当時、ただの人間であったこのわたしには、当然、波紋法など使うべくもないわたしには、人間を超越した吸血鬼に対抗するすべなどなかったのだから。

昇った太陽に、その男の身体は灰となって、塵となって、掻き消えた。あの強力な生命体の弱点が太陽であると、わたしは知った。

すべてが偶然だった。

意図も計画もなかった。

わたしが石仮面の秘密を知ったのも、それによって生み出される吸血鬼の弱点を知ったのも、すべてが偶然だった——すべてがただのミスの結果だったと言ってもいい。

だが、偶然もそこまで重なれば必然だし。

失敗もそこまで重なれば成功のようなものだった。

わたしはそう思う。

37

もちろんそのときに至っても、わたしはまだ、自分自身がその石仮面をかぶるつもりなどなかった――確かに強力なパワー、それに不死身に近い肉体が手に入ることは確かだったが、それに伴う犠牲があまりにも大き過ぎる。

ジョナサンの研究ノートに書かれていたことと照らし合わせてみると、おそらくはこういうことだ――石仮面は、人間の脳の可能性を引き出すものだった。

脳の可能性――人間の脳は未知の器官であり、我々の知らない能力が眠っていて、石仮面の骨針は、その能力を起こす働きがあるのだと、そう理解するのが手っ取り早そうだった。

脳を起こす。脳を押す。

そのための装置が、石仮面というわけだ――だが、それにしたって、わからないことが多過ぎた。ほんの一回の人体実験しか行っていない、そんな得体の知れない仮面を、まさか自分に使う予定などはなかった――しかし。

使わざるを得ない状況へとわたしは追い込まれた。

実験を終えて――酔っぱらっての放浪を終えて、と言ってもいいが――ジョースター家に戻ったわたしを待っていたのは、食屍鬼街《オウガーストリート》から無事に帰ってきた、ジョナサン・ジョースターだった。

いや、無事どころの話ではない。

彼は、わたしに毒薬を売った中国人を連れて——それに、食屍鬼街《オウガーストリート》でできたらしい仲間を連れて、帰ってきたのだった。

わたしは完全に追い詰められていた。チェック・メイトという奴だった。

とはいえ、それはわかっていたことだった——ジョナサン・ジョースターがそういう男で、わたしはそれ以前から、とっくに追い詰められていたということはわかっていた。

だがしかし、だからといって、屋敷に帰らず、逃げ出すなんて真似をするつもりはなかった——あんな奴のために逃げ出してたまるか。

わたしはジョナサンと戦うために、わたしは既に自分にとって死地だとわかっているジョースター家に戻ったのだった。

『解毒剤は手に入れたよ』

『つまり証拠をつかんだということだよ、ディオ』

『ぼくは気が重い……仲がよかったとは言えないが、兄弟同然に育ったきみをこれから警察に突き出さなくてはいけないなんて』

ジョナサンは、そんな風に。

本当に気が重そうに、いっそ悲しそうに、わたしを出迎えた。

『残念だよディオ……、本当に』

『わかってもらえないかもしれないが、これは本心だよ……ディオ』

そんな……何と表現するべきか、いわゆる『優しい』言葉を、対決しようと思っていた相手からそんな言葉をかけられたという事実が、わたしをどれほど傷つけ、どれほど抉《えぐ》ったか、果たしてジョナサンには想像できるだろうか？

悲しそうな目が、同情するような目が。

どれほどわたしを踏みにじったか――きっとジョナサンには、永遠にわからないだろう。

だが、わたしは激昂しなかった――ジョナサンからのそんな侮辱に耐えた。

そして、わたしはジョナサンに、こう

38

思わぬ報告を受け、中途半端なところで執筆が途絶えてしまった。このノートが覚え書きや備忘録に類する物なのだとしたら、接続やまたぎにそこまで気を遣う意味はなかろうが、しかしペースが乱れるのは気分が悪い。だが致しかたない。先に書かねばならないことができた。

できてしまったと言うべきか。

J・ガイルとホル・ホースのコンビが、世にも珍しいスタンド使いのコンビが、ジョースター一行に返り討ちに遭ったという報告が入ったのだ――それも、もう何日も前のことらしい。

その情報が今までわたしのところに上がってこなかったのには理由がある。よんどころのない事情と言って差し支えのない理由が――このディオをして『それならば仕方ない』と言わしめるだけの理由が。そう、本来、それをわたしに報告するべき立場にあったエンヤ婆が、その知らせを聞いて正気を失ってしまったのだ。

返り討ち。

ホル・ホースはしたたかなる敗走を、それでも選んだらしいのだが、エンヤ婆の息子であるＪ・ガイルは、彼を仇とするジャン・ピエール・ポルナレフのスタンド『シルバーチャリオッツ』に串刺しの刑に処されたのだと言う。

実の息子が殺されたら。

あんな魔女でも悲しむものなのだろうか。

あんな魔女でも――母親なのだろうか。

聖女ならぬ魔女だとしても――母親なのだろうか。

ともあれ結局、それを見かねた他の部下が、遅ればせながらわたしにそれを報告したというわけだ。

とはいえあのふたりも、ただ負けたというわけではないらしい――ジョースター一行の要とも言える占い師、アヴドゥルを始末したというし、死んだのがＪ・ガイルだけで、ホル・ホースはしぶとく生き延びたと言うのならば――向こうをひとり殺し、こちらがひとり死んだのであれば、イーブンと言えなくもない。命は、『魂』は足し算や引き算ではないが、増して割り算であるはずもないが、互いの人数からすれば、実際は勝ったようなものだろう。

勝ったようなもの。

そう、勝ったようなものなのだ。

本来ならばそうだったのだ――にもかかわらず、エンヤ婆が、こちらの組織の肝とも言えるまとめ役である彼女が正気を失ってしまったのでは、結果として全然つり合いが取れない。

大ダメージ。

否、壊滅的なダメージとさえ思う。

正直な話、このダメージは回復が見込めない。

今のところ、『エンプレス』がそのスタンド能力を使ってジョースター一行を追尾しているというが、果たしてどうなることか……指揮系統を失った組織のパーツが、果たしてどれほど機能するものか。

どうやら、そのときがきたようだ。やはりわたしが、本腰を入れなければならないようだ。ジョースター家との因縁は、やはりわたしが——直々に断ち切らなければならないようだった。

打ち立てよう。

戦略を打ち立てよう。

百年前、そうしたように——そうしなければならなかったように。

ジョースター家からすべてを奪うための戦略を。

……しかし、それはさておき、わたしはまずは、とりあえずエンヤ婆をなんとかしなければ。

正気を失った母親を。

39

書くべきことが多過ぎて、何から書いていいものか迷う。このノートはあくまでも『天国へ行く方法』の記録だ――そういう意味ではジョナサンが石仮面について記していた研究ノートとは、目的を別にする。

だから石仮面についてのあれこれを、あまり詳細に書く必要はない――百年前の、当時の心境などを事細かに書いても、気分が悪くなるだけという気もする。

それに、百年前どころか、現在の状況があまりにも悪くなってきた――ここは一度、『天国へ行く方法』の模索を中断するべきだろうか？

ジョースター家との戦いに専念すべきだろうか？

そうかもしれない。

いや、客観的に判断するならば、そうなのだろう――『天国へ行く方法』は、どうせ、明日明後日に実行できるようなものではない。

先の見えない、息の長い計画なのだ。

ならばそれはとりあえず後回しにするというのが、正しい――しかしその正しさこそが、わたしには気に入らないのである。

言っていて、書いていていて、嫌になる。

正しい、というのは、基本的に、腹立たしいということである。

あんな連中のために——ジョナサンの子孫などのために、わたしがわたしの計画を曲げるなど、賢明ぶって自ら遅らせるなど、あってはならないことだ。

そんなことをすれば、ディオはディオではなくなってしまう——だからあくまでわたしは、目的のために動いてみせる。

早速、続きから始めよう。

ジョナサンに追い詰められたわたしは——ジョナサンに情けさえかけられたわたしは、屈辱に耐え、そこに付け込むことにした。潔い振りをして、隙をついて彼をナイフで刺し殺そうとした——もう後先など考えてはいられなかった。

ジョナサンを殺す。

そのときのわたしには、もうそれしか考えられなかった——だが、その点において、ジョナサンは周到だった。

彼は既に警官隊を屋敷の中に入れていたのだ——いや、それがジョナサンのアイディアだったとは思いにくい。

きっとそれは、彼が食屍鬼街《オウガーストリート》から連れて帰ってきた友人……、スピードワゴンとやらの指示だったに違いない。

彼は……いや、奴は言った。

ジョナサンの同情を更に引き出そうと、心ならずも演技を続けるこのディオに対し、蠟《ろう》燭《そく》を蹴りつけながら言った。

『こいつはくせえーっ！　ゲロ以下のにおいがプンプンするぜーっ！　こんな悪には出会ったことがねえほどになあ！』

『環境で悪人になっただと？　違うねっ！　こいつは生まれついての悪だ！　ジョースターさん、早《はえ》えところ警察に渡しちまいな！』

なんとも正しいお言葉だ。

場所は違えど、さすがは同じどん底育ち……きちんとこのディオのことを見抜いている。だが、だからといって、わかりあえるとは思えなかった。彼と肩を組んで歩く道程はまったく想像できなかった。

確かにわたしは生まれついての悪だったかもしれない——きっとそうだったのだろう。自分でもそう思う。少なくともわたしは、どれほど記憶を探っても、自分が純真無垢だった頃、善人だった頃、あどけなかった頃というものを思い出せない。

聖人のような母のことをずっと馬鹿にしていたし、それまでの人生で、善行というものをおよそ積んだことがなかった。

強いて言えば、ジョースター家で過ごした七年間、優等生の仮面をかぶっていたときには、それなりに『いい子』として振る舞っていたが、それはジョースター家を乗っ取るためにしていたわけであって、やはり善行とは言えまい。偽善であり、単純な悪よりも質が悪いかもしれない。

だからスピードワゴンは正しい。

わたしが生まれついての悪だという、奴の言葉はすごく正しい――――しかし、それ以外のある点において、奴は間違えていた。

的外れだった。

わたしが生まれついての悪だったとしても――呪われし魂だったとしても、しかし、生まれた環境、育った環境が悪くなかったということにはならないのだ。

わたしは悪だ。

そして環境も悪かった。

そこに矛盾は生じまい。両立する。

この後、わたしは石仮面をかぶり、人間をやめることになるのだが、そのきっかけをくれたのは、だから案外、スピードワゴンというあの男だったのかもしれない。

そんな風に考えると、やはり少しおかしい。

運命など、きっちりと定められているようでいて、実はほんの小さな間違いで、簡単に変わってしまうものなのだ。

40

エンヤ婆に『肉の芽』を刺した。

正気を失った彼女に正気を取り戻させるにはそれしかなかった。いや、そう思っての処置だったが、結局正気には戻らなかった――ほんの少しだけ、ましになったという程度だ。『エンプレス』と『ホウィール・オブ・フォーチュン』がジョセフ・ジョースターに敗北したという報告を受け、彼女はついに自分から直々に、彼らを始末しに向かった。わたしに相談することも報告することもなく。

どんな結果になるだろう。

エンヤ婆の『ジャスティス』は、大量の死体を同時に操ることができるという、ある意味石仮面にも匹敵するスタンド能力だ――まともに戦えば、勝てるスタンドはないだろう。そしてまともに戦わなくとも、結果はあまり変わるまい。

複数対一人という人数の不利も、あの老婆のスタンドならば覆《くつがえ》すことができる――だが、不安なのは、仕方がなかったとはいえ、『肉の芽』を使ってしまったことだ。

そのことによって、彼女のスタンドパワーが弱まってしまっているだろうことが、不安要素である……。

今日はノートを書く気になれない。
続きは明日にしよう。

41

『ディオ……』

『話はすべて聞いたよ』

『残念で……ならない』

『きみのおとうさんは命の恩人……そしてきみには息子と同じくらいの愛情と期待を込めたつもりだったが』

『寝室へ行って休むよ……息子がつかまるのを見たくはない……』

思い出されるのは、そんな養父の言葉だ。

ジョージ・ジョースターの言葉だ。

彼もまた、息子であるジョナサンと同じように、悲しそうな目でわたしを見るのだった——そう、それらの言葉に嘘偽りはないのだろう。

彼は本当に悲しかったのだ。

そして本当に見たくなかったのだろう、わたしが逮捕される様を。ジョナサンと同じくらいの愛情と期待を込めたという言葉も、また嘘ではなかったはずだから。

と、書いたところで思い至る。

ジョージ・ジョースターは、わたしの企みに――養子の邪《よこしま》なる考えに、本当に気付いていなかったのだろうか？

この直後にわかることではあるが、彼は恩人と呼んだ男、ダリオ・ブランドーが、恩人ではなく盗人であったことを知っていた――知っていながら父を恩人と呼び続け、その息子を引き取り、愛情を注ぎ続けた。

そういうことができる男だった。

ならば――養子が己を殺害しようとしていることを、家を、財産を乗っ取ろうとしていることを知りながらも、なお養子として、息子として愛することも、彼にはできたのかもしれない。

わたしが差し出す薬を。

薬ではなく毒と知った上で、呑んでいたのかもしれない――それは恐ろしい想像だ。ただ、わたしが思いとどまるのを期待し、心を入れ替えるのを期待し、毒を呑み続けていたとするのなら――そんな恐ろしい思想は、わたしなどより、この世の誰より、ずっと狂気に満ちている。

優しさとも甘さとも違う。

狂った愛情。

『与える者』は――わたしにどこまで与えるつもりだったのか。

……いや、これはさすがに考え過ぎだ。

いくらなんでもそんな男がいるはずがない――聖人の域さえ超えている。

あの母の愛さえかすむ、この父の愛。

だけどわたしは、なお思う。

この後、わたしに殺されることになるジョージ・ジョースターは、息子を庇い、養子に殺された父親は、おそらく、天国に行ったのだろうと、そう思う。

母でさえ、行ったとは思えないあの天国に。

そして向こうで――ダリオ・ブランドーと再会したのかもしれない。

父と父は、再会したのかもしれない――だとすれば、彼らは何を話すだろうか。

気分が悪くなった。

続きは明日だ。

42

追い詰められたわたしは——追い詰められ、ジョージ・ジョースターからもジョナサン・ジョースターからも情けをかけられたわたしは、自ら石仮面をかぶる決意をした。

人間をやめる決意をした。

もしも、屋敷の中にいたのがジョースター親子だけだったなら——他にいたとしても、スピードワゴンだけだったのであれば、それでもわたしは石仮面をかぶらず、生身で戦うことを選んだだろう。

しかし鉄砲を持った警官隊がいる状況では、他に取るべき手段などあるはずもなかった——そんなつもりはなかった。

わたしを、石仮面をかぶらざるを得ないところまで追い込んだのは、彼らである。彼らにわたしは、人間をやめさせられたと言ってもいい。逆に言えば、彼らがわたしをそこまで追い込んでくれたからこそ、わたしはできたのだ。

人間をやめることができたのだ。

確かわたしは、ジョナサンにこんなことを言ったのだったか……、せめてきみに手錠をかけてほしいと近くに誘い、それから、そう、こんなことを言ったのだったか。

『ジョジョ……』

『人間ってのは能力に限界があるなあ』

『おれが短い人生で学んだことは……人間は策を弄《ろう》すれば弄するほど、予期せぬ事態で策が崩れさるってことだ……』

『人間を越えるものにならねばな……』

今もその思いは変わらない。

策を弄すれば弄するほど——予期せぬ事態で策が崩れさる。

だが、付け加えるべきこともある。

人間を超えるものになったところで——結局、策を弄すれば弄するほど、予期せぬ事態で策が崩れさるのだ。

今もまた崩れていく。

『天国へ行く方法』。

完全だったはずの計画は、ジョースター一族のせいで、またも予期せぬ崩れかたをしている——それが必然であるかのように。

とにかくわたしは、ジョナサンの目の前で石仮面をかぶり、ジョナサンの目の前で人間をやめた——本当は彼の血を浴びることで人間をやめるつもりだったのだが、浴びたのは彼を庇った、ジョージ・ジョースターの血だった。

父は息子を庇った。
針はわたしの脳を押した。

43

エンヤ婆の『ジャスティス』が、空条承太郎の『スタープラチナ』に敗れたという報告が、スティーリー・ダンから入った。

やはり『肉の芽』の副作用があったのだろう――わたしはスティーリー・ダンに、エンヤ婆を始末するよう命令をくだした。

必要なことをするだけ。

必要なことをしただけだ。

何の感情もそこには生じない。

だが、これからのことを思うと、さすがに気疲れする――エンヤ婆に任せていた数々の仕事がすべてストップすることを外して考えても、気疲れする。少し休もう。

44

石仮面をかぶりその身に血を浴びた者は、ほとんど例外なく吸血鬼になれるが、しかし、どれだけ『それ以前』の意識が残っているかは、人それぞれであるようだ。

たとえばわたしが偶発的に行った実験対象の男は、わたしの知る限り石仮面の最初の被害者は、吸血鬼化こそしたものの、ゾンビとたいして変わらないような、食欲と殺戮《さつりく》欲の権化と化した――わたしも混乱していたので確かなことは言えないが、しかし、あれは正気や理性を失っていたと言って差し支えあるまい。

人格は微塵も残っていなかった。

脳の強さには、それなりに個人差があるということなのだろう。

脳を押された結果自我を失ってしまい、心身共に化け物になってしまう者もいれば、わたしのように、正気を残したままに吸血鬼化できる者もいるということだ。

……まあ、わたしが自分でそう思っているだけで実のところわたしは、正気や自我、理性をとっくに失っているのかもしれないが。

自分が正気かどうかなんて、自分でわかるはずもない。

だが、わたしは、わたしがわたしであり続けられるのならばそれでよかった。

たとえ人間をやめようと。

わたしがわたしであれば、それでよかった――ディオという、誇りある自分であり続けられるのならば。

ディオ・ブランドーでもなく。

ディオ・ジョースターでもなく。

D・I・O。

純粋なるDIOで、あり続けられるのならば――それで何よりだった。

百年前のあの日、わたしが石仮面をかぶったのは追い詰められて、言ってしまえば苦し紛れのようなものだったが、しかしそれでも、理性……自分らしさがそこに残ったのは幸いだった。

とはいえ幸いだったのはそこまでのことで、あくまでそこまでのことで、結局わたしはその後、そのほんの数十分後、ジョナサン・ジョースターの爆発力に敗北することになるのだった。

警官隊こそ、吸血鬼化のパワーによって一掃したものの、わたしはジョナサン・ジョースターによって、ジョースター家ごと、『焼き殺されて』しまったのだった。

七年間、わたしが過ごした思い出の家ごと――『焼き殺されて』しまった。

いや、正確に言うならば、わたしを殺したのは炎ではない。炎だけならば、わたしは逃れることができたはずなのだ――吸血鬼の回復力があれば、逃れることができたはずなのだ。

しかしできなかった。

ジョースター家の守護神、慈愛の女神に貫かれ――わたしは焼かれたのだった。

45

昨日の記述を見て恥ずかしくなる。

慈愛の女神に貫かれ、焼かれた、などと……ただの修辞的表現にしても、あまりに自己陶酔が過ぎる。わたしはいったい何を書いているつもりなのだ。文学かなにかか?

そうではあるまい。

単純に、わたしはジョナサンの強運の前に敗北しただけだ――強運、あるいは彼の無意識の前に。

ジョースター家のロビーに飾られていた慈愛の女神像、つまりただの飾りを利用した彼の無意識の前に、敗北しただけだ。

彼が、わたしという不死身の吸血鬼を、生身の身体でどのように『退治』したのか簡単に、事実だけを記そう――変な陶酔なしに、事実だけを簡潔に記そう。

警官隊の一斉射撃もものともしないわたしの不死身度――回復力を見て、彼はわたしを焼き殺すことを思いついたらしい。

それもただの炎では足りない。

ジョースター家ごと焼き尽くすような、大きな炎で焼き殺そうとしたのだ――本当は、あの男はわたしと相打ちになるつもりだったようだ。心中、とでも言うのか……、自ら犠牲となることで――わたしを逃がさず、焼き尽くすつもりでいたようだ。それなのに、ジョナサンだけが助かり、わたしだけが焼かれたのは、その命運を、その明暗を分けたのは、やはりわたしには、運不運でしか説明できない。

さっき、無意識などと言ったが――ずっと暮らしてきたジョースター家の構造を無意識に利用し、ロビーに飾られている慈愛の女神像を、無意識に利用したのだなどと書いたが、ジョースター家の構造を知っているということにかけては、わたしだってジョナサンに、そう劣ったものでもない。

なのに彼は生き残り。

わたしは『死んだ』。

この差はなんだろう？

だから運不運だ。しかしそれですべてが決まるのか？

だったら、『天国』に行けるか行けないかも、そんな風に決まってしまうのだろうか？運のいい者が天国に行けて、運の悪い者が天国に行けない、それだけのことなのか？

気高さも、誇り高さも関係ない。

善行も、人間性も関係ない。

……そもそも、母はどのような意味で『天国』という言葉を使っていたのだろう――今更考えるようなことでもないが、しかしあまりにも漠然としている。

信仰心に基づく『天国』という意味だったとは、こうなってくると本当に思いづらい。ならばシンプルに、『ここよりも幸せな場所』という意味だったのか——だが、あの街よりも幸せな場所なんて、正直、どこにでもあるじゃないか。あそこ以外のすべての場所が、極論、『天国』であると言っていい。ブランドー家を一歩出れば、あの、どん底の街を一歩出れば、それだけで彼女は、

『幸せ』

になれたのだ。

『天国』に行けたのだ。

なのに、まるで悟りを開くために自らの身に苦行を課す修行僧のように、母は、あの町で生き続けた——そして死んだ。

それは愛、とやらか？

父を愛して、わたしを愛し。

そして町の住人達を愛していた——聖女のように。

そういうことだったのだろうか。

……もしもすべてが運不運だとするのならば、このように記録を取って、天国に行く方法を模索するというわたしの行為そのものが意味を無くす。どれほど考えたところで、知

恵を絞ったところで――策を弄したところで、不測の事態によって、予測不能な展開によって、すべてが台無しになってしまうのだから。

運不運。

思えば、わたしがダリオ・ブランドーと愚かな母の間に生まれてきたことから、その不運は始まっていて――ジョナサンの強運は、そうだ、ジョースター家の跡取り息子として生まれてきた時点から始まっている。

ならば生まれがすべてか。

育ちがすべてか。

スピードワゴンの意見はやっぱり間違っていて、環境がすべて、ということなのか――生まれついての悪というのは、つまりはイコール、生まれた環境が悪かったというだけのことか。

『天国』に行けるかどうかは。

生まれつき決まっているだけなのか。

わたしは、母は絶対に天国に行けなかったに違いないと、そんな風に決めつけていたけれど――案外あっさり、生前の善行が評価されて、あるいはそれ以外のどうでもいいような理由で、

『天国』

に行ったのかもしれない。

だとすれば、わたしはとても無駄なことをしている。無駄で無意味なことを。

いっそこんなノートは捨ててしまうか？

あるいはそれもよかろう――もしもわたしが天国に行けるなら、何もしなくとも行けるだろうし、行けないのなら、何をしても行けない。

努力は無駄で抵抗は無意味。

それだけのことだとしたら。

46

それだけのことだとしても、わたしは一応、今判明していることは、最後まで書いておくことにしよう。

意味がないとしても、後に読み返して、それを面白おかしく思う程度の娯楽としては成立するだろう――ジョースター一行を始末して後には、身体が完全に馴染んでしまえば、わたしの人生には張り合いがなくなってしまうかもしれないのだから。

ならばそのときのために備えて娯楽のひとつでも用意しておくのが、よりよい人生のためだろう。

とはいえ、心が乱れた。

やはり、自分の失敗、程度ならばまだしも、自分の敗北を書く、思い出すというのは、あまり気分のいいものではないということだ。

落ち着きを取り戻すためにも、今日は現在の事実だけを記そう。

ここ数日の間に起こったことだけを。

スティーリー・ダンの『ラバーズ』が敗北した。

そして『サン』も、『デス・サーティーン』も。

既に『ジャッジメント』と『ハイプリエステス』が動いているようだが、彼らにジョースター一行が止められるとは、もはやわたしには思えない。万が一にも思えない。

エンヤ婆の直属部下であった彼らは今、独自の判断で動いている——このディオの命令を待たず、手柄を立てるために動いている。言ってしまえば暴走状態にあるわけだ。

制御を失った彼らを、止めるすべをわたしは持たない——こうなる前に『肉の芽』で支配しておくべきだったのかもしれないが、それはそれでマイナス面があることは、既に証明されている通りだ。

そして『ザ・フール』のスタンド使い——『犬』のイギーは、やはりスピードワゴン財団に保護されているとのことだ。

スピードワゴン。

あの男だ。

死後もわたしに苦労をかけてくれる——財団などを築けたところを見ると、所詮あの男も、悪ぶってはいても、『受け継ぐ者』か『与える者』だったということか。

メッキが剝げたな、馬鹿馬鹿しい。

ともかく、イギーは遠からず、ジョースター一行に合流することだろう。

こう書いていると悪いことばかりのようだが、よい情報もあった。

『ザ・フール』の犬と同じ、あるいは『ストレングス』のオランウータン同様に、動物のスタンド使いが見つかったのだ。

『ホルス神』のスタンド使い。

ハヤブサのスタンド使い。

わたしは彼(?)を、ペット・ショップと名付け、屋敷の番人とすることにした。

そしてペット・ショップを配下に置いたことで、わたしの下に『エジプト9栄神』のカードが、すべて揃ったことになる。エンヤ婆の配下とは別種のカードが、すべて。

一度彼らを全員、屋敷に集めることにしよう。

エンヤ婆の集めたスタンド使い達が全滅する前に——彼らが命がけで『時間』を稼いでくれているうちに。

そうだ、ホル・ホースも呼ばなければ。彼だけは。

47

プッチが再度、わたしの屋敷に来てくれる日取りが決まった。
彼と会うまでに、『天国』とは何か、わたしの中ではっきりさせておこう。
『天国』とは何か？

48

落ち着いたので、百年前の続きを書こう。

わたしは敗北した。

ジョナサンに、いや、ジョースター親子に敗北した――『死んだ』、『殺された』。

しかしわたしは死ななかった。

しかしわたしは殺されなかった――生き残った。

最後の最後、炎に崩れた柱が、わたしを貫いていた女神像を破壊したのだ――だからわたしはかろうじて生き残ったのだ。

それを、もしも強運と言うのならば、あの中国人が言う通り、わたしは強運だったのだろう。そういうことになってしまうのだろう。しばらく回復できないほどにぼろぼろになってしまったが、ほとんど再起不能みたいなものだったが、ともかく、何はともあれ、わたしは生き残り、生き延びたのだから。

わたしの人生は、続いたのだから。

人としてではなくとも――続いたのだから。

今もって続いているのだから。

死に損なったのではなく、生き残った。

ここはそう言うべきだ。

しかしわたしは、しばらく身を隠さねばならなかった。不死身の回復力を持つ吸血鬼といえど、瀕死の状態から元に戻るまでには、それなりの時間と、それなりの生命を必要とするようだった——だから。

だからわたしは、切り裂きジャックのようなしもべを作りつつ、若い女の生き血をすすりつつ、ただ回復を待った。

回復し。

ジョナサンに復讐できる日を待った。

だが、わたしがそうしている間に——我が身の回復に努めている間に、ジョナサンはあの憎き波紋法を身につけていた。

太陽のエネルギー、あるいは人間賛歌。

あるいは生命、魂そのものと言ってもいい、あの技術を——吸血鬼退治に特化した、あの技を身につけていた。

修得していた。

既にどこかで書いたかもしれないが、ジョナサンにそれを教えたのは、ウィル・A・ツェペリという男である——彼がジョナサンの師だ。

聞いた話では、ジョナサンが何年か振りに再会したエリナ・ペンドルトンと仲良く道を歩いていたら、ツェペリが待ち構えていて、いきなり骨折を治してくれた挙句に、このディオが実は生存しているという事実を告げ、わたしを倒すためには波紋法を知らなければならないと、親切にも教えてくれたとのことだ。

失笑だ。

いや、まるで笑えない。

素直に怒りを覚える。

どこまで行ってもジョナサンは、『受け継ぐ者』だということだ――彼は自分から、わたしを倒す方法を模索したわけではない。

波紋法を教えてくれと、チベットの山奥まで修行をしに行ったわけではない。

どころか、わたしが――宿敵と言って差し支えがないはずのわたしが、生きているということすら、自分で調べようともしなかった。

どうせ、ジョナサンは、わたしのことなど、それに石仮面のことなど、

『早く忘れよう』

とでも思っていたに違いない。

そういう奴だ――そんな風に、己の『殺人』を割り切れる男だ。

食べたパンの味を、忘れられる男だ。

そして、能天気に日常生活に戻ろうとしたところを――そうしてくれていたほうが、もちろんこのディオにとってもありがたかったのだが――ツェペリに『与えられ』、そして彼から『受け継いだ』というわけだ。

波紋法を。

そして石仮面との因縁を。

『受け継いだ』。

自分からは決して動かず、ただただ『与えられ』、『受け継いだ』ものだけで、ぐうたらに生活するジョナサン・ジョースター。

そう表現してみると、あの酒呑みの父親と、ジョナサン・ジョースターの間にも、案外共通点はある気がした――わたしの『宿敵』として、彼らは似た者同士と言えるのかもしれなかった。

もっとも、父は『奪う者』だったが。

わたしと同じ、『奪う者』だったが。

要するにわたしとジョナサンとの戦いは、更に疑問を呈すれば、つまるところ『奪う者』と『受け継ぐ者』との戦いだったということだ――更に言えば、結局、わたしが敗北したところを見ると、所詮どう頑張っても、『奪う者』は『受け継ぐ者』に、『持たざる者』は『持つ者』には勝てないということなのだろうか？

いや、違う。
確かに短期的にわたしは負けたが。
しかしジョースターの血統との勝負は、まだ終わっていない。
今もって、続いている。

49

『ゲブ神』、ンドゥール。

『クヌム神』、オインゴ。

『トト神』、ボインゴ。

『アヌビス神』（本体なし）。

『バステト女神』、マライア。

『セト神』、アレッシー。

『オシリス神』、ダニエル・J・ダービー。

『アトゥム神』、テレンス・T・ダービー。

『ホルス神』、ペット・ショップ。

　エジプト9栄神。

　それにホル・ホースが、わたしの屋敷に揃った——さすがに圧巻と言うべきだろう。もしもこの十体のスタンドがチームを組んで同時に襲ってきたら、さすがのわたしもひとたまりもなかろう。

　ただしそれが起こらないことも、わたしはやっぱり知っている。

彼らはチームを組まない。

彼らは徒党を組まない。

スタンド使いは、他のスタンド使いに自分の能力を知られるのを極端に恐れる――この中で他人とチームを組む才覚を持つのは、前にも言ったが、例外的なホル・ホースと、オインゴとボインゴの兄弟だけだ。

わたしは彼らに、今後取るべき行動を告げた――おそらく『ジャッジメント』と『ハイプリエステス』を突破してエジプトに上陸してくるであろう彼らを、迎え撃つよう――始末するよう、指示を出した。

それは、わたしがプッチと安全に会うための、そして天国に行く方法を探るための時間稼ぎでもあったり、ジョナサンの肉体がもう少しわたしに馴染むのを待つためでもあったりした。

どちらにしても、少なくとも予想以上に強力な彼らのチームを迎えるには、わたしのコンディションもまだ、あまり万全とは言えない。

報告によると、しかし、この会合はスピードワゴン財団につかまれてしまったようだ――即ちそれは、ジョースター一行にこのディオが暮らす屋敷を知られてしまったということでもある。

逃げるようで気に食わないが、しかし、とりあえずここから離れたほうがよさそうだ。

ケニーGと、ヴァニラ・アイスも呼んでおこう。
ヴァニラ・アイスは、特に切り札だが……どうなることやら。

50

昨日の会合で得られた収穫を、今日は書こう。

昨日のうちに書いておくべきだったかもしれないが、考えをまとめるのに少し時間がかかってしまった——他ならぬわたしにしてみても、それは突拍子もない発想だったからだ。

いや、やはりもう一日、このアイディアは寝かそう。

勇み足はわたしの悪い癖だ。

そうやって何度も、肩透かしと拍子抜けを繰り返してきたではないか——『天国へ行く方法』の模索に関しては、それ以外のことに関しても。

今日は事実だけを記す。

この場合はやはり、と言うべきでしかないのだろう、『ジャッジメント』と『ハイプリエステス』が、ジョースター一行に敗北した。

しかも、更なるバッドニュースも入ってきている——J・ガイルとホル・ホースが始末したはずだった『マジシャンズレッド』のモハメド・アヴドゥルが、生存していたのだという。

それもたまたま生きているといったような、偶然生き延びていたというような話ではなく、ジョセフ・ジョースターの策として、ジョナサンの孫のトリッキーな策として、あえて『殺されたふり』をしたとのことだった。

残念ながら、一杯食わされたことを認めざるを得ない――そのせいで、彼らのエジプト上陸を許してしまった。まさかアヴドゥルが、死んだふりをして潜水艦を用意していたとは……。

ぎりぎりそれに気づいた『ハイプリエステス』が潜水艦を破壊したというが、あと一歩及ばず、承太郎に再起不能にされたという……。

してやられた。

と、思う反面、しかし、どこかほっとしている自分にも気づく。そのバッドニュースを、思いのほか穏やかに受け入れられている自分に。

どころか、ある意味、グッドニュースとして受け入れられている自分に。

ジョセフ・ジョースターのトリッキーな策、と言えば聞こえはいいが、相手を騙し、欺くことを前提とした卑劣な策。

それに空条承太郎――敵スタンド使いとはいえ、女を再起不能にまで痛めつける容赦のなさ。

そう言えばジョセフも、女スタンド使いである『エンプレス』を躊躇《ちゅうちょ》なく倒していたが
――それは、ジョナサン・ジョースターやジョージ・ジョースターでは、考えられない行

為だ。

百年前には考えられない、非紳士的な行為だ。

だからわたしは安心した。

『受け継ぐ者』である彼らも――ジョナサンから、気概のすべてを『受け継いだ』わけではない。いくらか、どころか、ひょっとしたら大部分が、摩耗し、消滅している。

ならば恐るるに足りない。

きっと彼らは、エジプト9栄神の誰かに――あっけなく、ンドゥールあたりに、始末されてしまうことだろう。

明日が待ち遠しい。

わたしの着想をまとめられる明日が。

51

エジプト9栄神のスタンド能力は、ダービー兄弟の例を挙げるまでもなく、それぞれ特殊だ。さすがはタロットカードの原点と言うべきだろうか――昨日、全員が総がかりになれば、みたいなことを書いたが、使い方次第では、ひとりでも十分、このディオのスタンドと真っ向勝負ができるほどの資質がある。

そんな中でも、わたしが注目したのは『トト神』のボインゴだ。

彼は内気、というより人間不信のきらいがあって、兄のオインゴにしか心を開かないため、わたしでも訊き出すのは難しかったが……、『トト神』のスタンド能力は、一言で言えば『未来予知』である。

『本』の形をしたスタンドだ。

その『本』に、未来が画となって現れるのだ――ごく近い未来のことしかわからないという弱点、それに攻撃力が一切ないという弱点はあるし、何よりそのスタンド能力の厄介なところは、

『予知』

された未来は、絶対に変更が不可能であるということである。

『予知は絶対百パーセントです』

そう言っていた。

あの気弱な少年が、何事に対しても自信なさげな少年が、そこまで断言するのだから
――少なくともこれまではずっと、そうだったのだろう。

わたしは最初、その『トト神』の能力を知ったときに、こう思った。

『それは何かの役に立つのか？』

『絶対に変わらない未来をあらかじめ知ることに、どんな意味があるのだ？』

『変えられない運命ならば、知ったところでどうしようもないではないか？』

そう思った。

確かに、よりよい――というか、望ましい未来が『予知』されたならいいだろう。その未来に最短距離で向かうための努力ならば、やりがいもあるというものだ。

しかし、決して望ましくない未来が、『スタンド本』に浮かび上がったとしたら、そのときはどうすればいい？　極端な話、自分の敗北が予知されたときは。

その未来を、行動か何かによって避けられるというのならばいい――だけどそれはできないのだ。

『絶対、百パーセント』

避けられないのだ――悲劇が定まっているのだとすれば、それを避けられないのだとす

れば、そんなものは知らないほうがいいだろう。
それを知るのは、人は生まれたときからどんな人生を送ることになるか決まっていると
いうのと同じことで、どんな努力も、鍛錬も、まったく意味をなくしてしまう。
生まれがすべて。
たとえばボインゴは、もしも『トト神』のスタンドに、
『自分が死ぬ』
未来が予言された場合は、いったいどうするのだろう――わたしはそう思っていた。
いや、ずっと昔のことのように語っているが、つい一昨日までそう思っていたと言って
いい――だが、わたしは一昨日、ついに訊いたのだ。
ボインゴに訊いたのだ。
もしも自分の死が、そうでなくともどうしようもなく悲しい未来が――それは兄の死だ
ったりするかもしれない――映し出されたときは、いったいどうするつもりなのか、と。
子供には酷な質問だったかもしれない。
だがわたしは訊かずにはいられなかった――ジョースター一行がわたしのところに辿り
着く前に、少しでも『天国行き』のヒントになりそうなことがあれば、訊かずにはいられ
なかった。
ボインゴはおどおどしながら、わたしと決して目を合わせようとはせず、がたがた震え

ながら、問《つか》え問えではあったが——しかし彼らしからぬはっきりとした意志をもって、こう答えた。

『それでも』

『それでも、ディオ様』

『たとえ避けられない悲劇が自分の前に立ちはだかっていたとしても——それを知っていれば、「覚悟」することができます』

……とても子供の言葉とは思えないものだった。

わたしは、あんな両親のせいで相当に早熟な子供だったが、しかしボインゴくらいの歳のときに、そんな大それたことが言えたかどうか。

『未来』がわかれば『覚悟』ができる。

『覚悟』ができれば——『幸せ』になれる。

つまり——『天国』とは、『未来』のことではないのか？

悪い未来を知ることは、決して『絶望』ではなく、むしろ『希望』なのではないだろうか——明日死ぬことがわかっていても、そこに『覚悟』があれば、『幸せ』なのではないだろうか。

『覚悟』は『絶望』を吹き飛ばす。

未来こそが天国——これは仮説だ。

まだ仮説の域を出ない——それに、ボインゴのスタンド能力では、まだ足りない。『トト神』だけでは、まだまだ足りない。ほんの少し先の未来がわかる程度では、できる覚悟の量もたかが知れていると見るべきだろう。

少し先の未来でできる覚悟は、やはり少しだけなのだ。

それはわたしの求める覚悟ではない——ちょっとピンチに追い詰められたり、大事に思っている相手が危機に陥ったり、そういう現状次第で決まる覚悟と大差なく、また大過のない覚悟では、とても天国には辿り着けまい。

足りない。否、結局、現時点では、天国に行くために足りているものなど、ほとんどないというわけなのだ——ひょっとすると、わたしは当初の着想を得た時点から、あっちこっちを向いていているだけで、一歩も前に進んでいないのではないだろうか。

だとすれば、なんなのだ、このノートは。わたしの停滞記か何かか——馬鹿馬鹿しい。あらぬ考えにとらわれてしまった。これは、帝王たるディオにとって、あってはならないことであろう。

整理しよう。

天国に行くために必要なあれやこれやを。

『36名以上の罪人の魂』。

『14の言葉』。

『心から信頼できる友』。

そしてわたしのスタンド――『時間』のスタンド。

『ザ・ワールド』。

そう、大丈夫だ――進んでいる。わたしは前進している。

時の流れに従って、ちゃんと、しっかりと、確固たる足取りを持って前へと進んでいる
――どれほど足りなかろうと、どれほど失おうと、それだけは確かなのだ――それだけは疑ってはならないはずなのだ。

すっかり機会を逃していたが、しかしこれこそいいタイミングだ。

だからこそここでわたしは『36名以上の罪人の魂』が必要とされる理由を書いておこう
――天国行きのための核となる『素材』についてのことなので、ここまでもったいぶってきたが、ボインゴの大活躍のお陰で、決まった。

わたしの覚悟も――この時点で、それなりに、そこそこ、決まった。

もちろんその覚悟は、全然、天国に行けるほどではないが――魂の総和が決まっているというところまでは、随分前に既に書いた。ならば魂の分量は？　生物ひとつあたりの魂の質量は――どうだろう。

これを仮に10とする。

10とする根拠は、人間にとって、それは吸血鬼にとって、それが一番『割り切れる』数

だからだ――あらゆる進法の中で十進法がもっとも普及したその理由は、人間の指が左右合わせて10本であるからのようだ。

だからわたしもここでそれを基準とする。

この魂の割合が善性と悪性の比率で分かれ、まあおおよその人間は、5：5で、善と悪のバランスが取れているらしい――ダニエル・J・ダービーは、チップへと変化させた『魂』を更に何枚ものチップにすることが可能だったが、その限界枚数も、十枚だった。

それを知ったとき、わたしはやはり、魂の分量を『10』とした自分の仮説の正しさを思った。

問題はその十枚のチップの色分けだ。

白と黒との割合だ。

ジョナサン・ジョースターのような正義の男なら、あるいはその十枚ともが白いチップに仕上がるのだろう――10：0で善人になるのだろう。

わたしの母もまた。

10：0の善人であり――聖女だろう。

そしてこのわたしや、あるいは切り裂きジャックのような者、エンヤ婆の息子、J・ガイルのような者は、魂における10のチップがすべて、暗黒色である――0：10の者であるということである。

そしてその黒い十枚を、36人分集めるとする。

子供でもできる掛け算だ——36かける10で、３６０。

３６０は円を示す数字であり——円は同時に、『時計』を示す。

36名の魂に、最低でもわたしの魂が加われば——『時』は一巡する。

そう、36名以上とは、一巡以上という意味なのだ。

『時』は——『一巡』する。

それこそが天国への過程であり、道標なのだ。

……と、知ったようなことを書いたものの、しかし現時点ではまだ詰めが甘いと言わざるを得ないこの考えが正しかったとして、『それ』を実践するためには、わたしは一度、自分のスタンドを捨て去る勇気を持たなければならない。

必要なのは『勇気』である。

わたしはスタンドを一度捨て去る勇気を持たなければならない——朽ちていくわたしのスタンドは36の罪人の魂を集めて吸収。

そこから『新しい者』を生み出すであろう。

そうすることで『生まれたもの』は目覚める——信頼できる友が発する14の言葉に知性を示して——『友』はわたしを信頼し。

わたしは『友』になる。

52

ジョナサンは波紋法を、あっさりと身につけたらしい――もちろん、それなりに過酷な修行はしたのだろうけれど、ほんの一週間か二週間程度の、なんというか、『努力みたいなもの』で波紋を使えるようになったというのが……、ああ、果たしてなんと書けばいいのだろうか、率直に言って、本当に嫌になる。

わたしや、他の多くの人間にはできないことが、彼にはあっけなくできてしまい、与えられて、受け継いで、また、もともと持っていたりして――とにかく、なんだかんだで達成してしまう。

才能とか。

万人にひとりの適性とか。

そういうわけのわからないもので――易々と、多大なる犠牲を払って人間を超越したはずのわたしに追いついてしまう。

『奪う者』と『受け継ぐ者』。

その間にはそれほどの差異があるのか。

……最初から、『差異がある』『差異が生じる』という未来がわかってさえいれば、わたしもあらかじめ、『覚悟』できていただろうか。

未来を知っていれば。

幸せになれたのだろうか。

少なくとも、ジョナサンよりは——無論わたしは彼の覚悟が、どれほどのものだったかは知らないが、それに知ろうとも思わないが。

ともあれ、波紋を身につけたジョナサンは、わたしを退治するために——人間をやめた化け物であるところのこのわたしを退治するために、わたしが肉体回復のために潜んだ岩奥の町『ウインドナイツ』にやってきた。

中世、王に仕える騎士たちを訓練するために作られた町で、あの頃にはその、三方を岩山に囲まれた天然の要塞的地形を利用して刑務所が建てられていた。

むろん、ウインドナイツをわたしが『療養所』に選んだのは、その刑務所があったからである——凶悪な人間のほうが、よいゾンビになりやすいというのは、既に何度か述べた通りだ。

わたしはゾンビの軍勢を作ろうとしていたのだ——当時の教科書にも載っていたような伝説の騎士、ブラフォードやタルカスを強力な側近として蘇らせたりしたのは、どちらかと言えばその副産物に近い。

そうやってしもべを増やし、町を支配し、いずれはロンドンを、更には世界中を支配下に置くつもりでいた――あの頃のわたしは、それを『目的』としていたのだろう。

それが『幸せ』だと信じていた。

あるいは、それこそが、『天国』に行く道なのだと確信していた。

今は違うと思っている。

わたしは当時のわたしの間違いを認めている。

頂点に立つこと――それは生態系の頂点に立つことでも、食物連鎖の頂点に立つことでも同じことだが――頂点に立つことは、必ずしも、真の勝利とは言えない。

真の勝利とは天国を見ること、そのものなのだ。

53

エンヤ婆とした会話だったか。

わたしは彼女にこんなことを訊いた。

『「生きる」ということは何だ？』

『人間は、何のために生きるのか』

それに対する彼女の答は、実にシンプルで、しかも割り切ったものだった。

『欲するものを手に入れること』

『一言で言うなら人が生きるということは「ただそれだけ」じゃ』

『金が欲しい』『名誉が欲しい』

『食べ物が欲しい』『愛が欲しい』『恋人が欲しい』

現実的な答で、実に見事。

しかし、欲するものを手に入れようとするとき、必ず戦いが起こる——戦いに敗れ、欲するものが手に入らなかった場合、挫折感と敗北感を味わい、傷つき……、そして次なる戦いのとき、

『恐怖』

を感じることになる。

わたしは、だから彼女にこう言った。

『おれは「恐怖」を克服することが「生きる」ことだと思う――世界の頂点に立つ者は、ほんのちっぽけな恐怖をも持たぬ者！』

それに対し、エンヤ婆は、本当に不思議そうに言ったのだった。

『ディオ様……あなた様のようなおかたが、何か「恐怖」することがあるので？』

そのときわたしは、『ジョースターの血統』と答えた――『ジョースターの血統は侮れない』と。

エンヤ婆はそんな私の言葉を笑い飛ばした――というより、叱りつけるくらいの勢いだったが、事実、現状はわたしの思った通りになってきている。

刺客として差し向けたスタンド使いは次々と撃破され、そのうち二名が敵に取り込まれ、笑い飛ばしていたエンヤ婆本人さえ倒され――わたしが彼女を始末する命令を出すことになり、遂に彼らのエジプト上陸まで許してしまった。

侮れない、どころでは、既にない。

悔いているくらいだ、今やあのときの判断を。

本腰を入れて対応しなければならない――それが『逃げる』ことになろうと『曲げる』ことになろうと、わたしの『天国へ行くための方法』の模索の、進行の遅れは避けられないだろう。

恐怖している、という言葉は、今でも使いたくはない――しかし今や、そう言っても事実とは食い違わないだろう。

虚勢は空しいだけだ。

はっきりと認めなければならない、己に言い聞かせなければならない。

わたしは今、『不安』を感じている。

この不安こそが、生きる上での障害なのだ。

生きるという意味の対極のようなものだ。

不覚悟なのだ。

人間は――人間をやめたわたしも、あるいは人間を超えた者も、例外ではなく――人間は誰でも、不安や恐怖を克服して、安心を得るために生きる。

名声を手に入れたり、人を支配したり、金もうけをするのも安心するためだ。

結婚したり友人を作ったりするのも安心するためだ。

人のために役立つだとか。

愛と平和のためにだとか。

すべて自分を安心させるためだ――安心を求めることこそ、人間の目的だ。

そう思う。

ならば——もしもそんな『恐怖』や『不安』を、漠然とではなくはっきりと『確信』できていたとすれば、それは『安心』に転ずるだろうか?

数か月前の段階で、わたしはジョースターの血統を、既に警戒していた——だが、判断はしかねていたはずだ。

どう転ぶかわからない、みたいなことを思っていたはずだ——あるいはエンヤ婆の読みが正しくて、あっけなく連中は、『ストレングス』あたりにあっさり全滅させられていたかもしれないという可能性も十分にあったのだから——否。

その可能性のほうが高いと、実際のところは思っていたはずだ。

だから今、こうも不安——あるいは、不安定な気持ちになっている。

『覚悟』がなかったから。

予期せぬ事態に、不安になる。

たとえ絶望的な未来でも、不利な将来でも、それがわかっていれば——今という状況をもっと落ち着いた気持ちで迎え入れることができただろう。

『覚悟』こそが『天国』。

考えれば考えるほど、この考えで正解の気がしてきた——なぜなら、母がずっと言っていたことも、それに繋がるように思えるのだ。

『ディオ。何があろうと気高く、誇り高く生きるのよ。そうすればきっと、天国に行けるわ』

気高さ、誇り高さ。

それは、その根っこのところに『覚悟』あってこそのことではないだろうか――『覚悟』があれば、たとえばあのどん底の街での地獄のような生活も、天国のように思えるのではないだろうか。

天国が幸せに満ちているのではない。

天国を知ることが、幸福そのものなのだ――知れば、それだけで覚悟ができるから。

天国とは未来のことだ。

明日のことだ。

ならば明日とはいつだ？

それは時計の針が、少し進んだ場所にある。

54

『ゲブ神』ンドゥールが敗北した。

『ザ・フール』のイギーを相手にしたことが、主な敗因ということだ――まあ、砂漠というステージで、『砂』のスタンドを相手にするのは、いかにあの技師《わざし》といえど、ハードルが高かったということだろうか。

だが、それは偶然だろうか？　ただの偶然だろうか――たまたま、砂漠での戦いのときに、たまたま『砂』のスタンド使いがあちらに合流したとでもいうのだろうか。

タイミングがよ過ぎる。

いくらなんでも、偶然が過ぎる――ならば運命か。

強運という奴か――確かに、相手がジョナサンだと考えれば、その強運には納得せざるを得ない。そもそも、わたしが海の底で百年生き延びられたことも、言うなればジョナサンの強運あってこそのようなものだった。

ジョナサンの強運あってこそ、わたしは海の底から、存命中に引き上げられたのだろう――普通ならばわたしはあのまま、海の底で朽ちていたはずだ。

百年前の戦いにしても、普通に進行していれば、わたしは千回戦えば千回ともジョナサンに勝利できていただろう――敗北の可能性など、計算するのも馬鹿馬鹿しくなるほど低かったはずだ。

なのに負けた。

すべての戦いで負けた。

そして今も――唯一倒したと思っていたモハメド・アヴドゥルさえ生きていたわけで、つまるところ、運命は。

つまり『未来』のようなものは――依然、ジョースター家の味方というわけか。

……もっとも、悪い知らせばかりではない。

リタイヤというわけではないが、ンドゥールは、花京院を手負いにすることに成功したそうだ――一時的にとはいえ、彼らの戦力は削がれた。

さすがはンドゥールと言うべきだ……。

できれば直接褒めてやりたかったが、殺されてしまったのではそれも叶わない。

彼は『覚悟』ある者だったと思う。

『弓と矢』によらない、生まれついてのスタンド使いである彼は――自分が世の中と馴染まないことを知っていた。

そんな中でも生きていた。

何も恐れず、己のスタンドだけを頼りに、あらゆる悪さを働きながら、生きていた。

わたしはそんな彼の生き方に敬意を示した。

既に故人であるスピードワゴンに言わせるならば、生まれついてのスタンド使いであり、つまり生まれつき世の中と馴染むことができず、道を外れていったンドゥールのような男もまた、

『生まれついての悪』

ということになるのだろう。

同情の余地もない、目を背けたくなるような悪で——殺して当たり前、始末して当たり前、差別して、虐げて当たり前ということになるのだろう。

別にわたしは悪の救世主を気取るつもりはない——ンドゥールはわたしのことをそんな風に呼んでいたが、わたしにしてみれば、邪《よこしま》なる者のほうが扱いやすく、そしてパワーある部下となるというだけのことだった。

悪ければ悪いほど、部下として有能だったというだけだ。

だが、『生まれついての悪』というそれだけのことで切り捨てようという連中の、お高くとまった態度には、やはり怒りに似た感情を覚える。

一言で言って不愉快だ。

ンドゥールのような者達のためにも——もちろん最優先なのは、わたしのため、だが——、わたしは確立しなければならないのだ。

天国に行く方法を。
どんな者でも。
悪人であろうと——愚かであろうと。
天国に行ける方法を、確立しなければならないのだ。
それこそが、人間を超えたわたしの——『世界』を背負ったわたしの責務であり。
わたしの『目的』なのだ。

55

プッチが、予定よりも早くエジプトにやってきた。

わたしが置かれている状況を、どうやら彼なりに察してくれたようだ——そんな風に気遣いのできる彼だからこそ、わたしの『友』となりうる……のかもしれない。わたしらしくもなく、そんな風に思う。

とはいえ少なくとも現時点では、彼が一番の有力候補であることは間違いない。彼ほど『無欲』で……、信仰に忠実な男はいないだろう。もっとも、聖書が教えてくれる『天国』と、わたしが言う『天国』との差異を、彼が認めることができるかどうかが、今はまだわからないところだ。

だが、信じよう。

人を信じる、なんて、あまりやったことがないのでどうすればいいのか、わたしにはよくわからないけれど……それも天国に行くためだというのならば、わたしは彼を。

友を。

『心から信頼しよう』。

わたしの言うことに、彼はまだ、さすがに怪訝《けげん》そうな顔をしていたが、とにかく時間がなかった。わたしは彼に、このノートの存在を告げた。

『天国へ行くため』の方法を記したノートがある、と。

正確に言えばこの通り、まだ未完成なのだが……しかし、わたしは初めて、このノートの存在を、他の誰かに告げたのだった。

エンリコ・プッチ。

きみは今、この文章を読んでいるだろうか？

今どういう状況で、きみがこのノートを読んでいるのか、わたしにはわからない。そのときわたしが生きているのかどうかさえ。だが、もしもこの世に運命というものが本当に、掛け値なくあるとしたら——人と人との間に働く、引力というものがあり。

きみとわたしの間に友情というものがあるのならば——どういう形であれ、きみはこの文章を読んでいるはずだ。

そして天国のなんたるかを知るはずだ。

もしも、わたしの考えにきみが賛同してくれるなら——お願いしよう。

このディオが、頭を下げてお願いしよう。

天国に行く方法。

何があろうと、どんな手を使ってでも、あらゆる犠牲を払ってでも——それを実行してくれとお願いしよう。

わたしは実行する。
きみもそうしてくれ。

56

感情的……ではないが、感傷的になってしまったので、ページを跨ぐことにした。馬鹿馬鹿しい、あの書きようでは、まるで遺書ではないか。

既にジョナサンにわたしは、

『二度』

殺されているからだろう——なんとなく今、わたしは『生命の危機』のようなものを感じているのかもしれない——だが、そんなものは錯覚だ。わたしは今、ジョナサンを相手にしているわけではない。相手にしているのはあくまでも、ジョナサンの子孫というだけだ。

ジョナサンから『受け継いだ』者達というだけのことで、ジョナサン本人ではない。何を恐れることがある——不安も恐怖も、ないはずだ。

ただ、仮に……、仮にだが、もしもこの後、わたしが彼らに『敗北』するのだとすれば——それを『予感』などという曖昧な形でなく、『確信』という形で知っておきたいものだ。

そうすれば『覚悟』が決まる。

『覚悟』を持って戦うことができる。

十時の次は十一時になることが当然であるように——十一時の次は十二時になることが当然であるように。

時計の針の進みのように未来が見えていれば——未来を知っていれば、人は、どんな者でも、『覚悟』を決めることができる。

……プッチはすぐにアメリカへと帰した。

エンヤ婆亡き今、こそこそと彼と付き合う必要はないのかもしれないけれど、しかし、エンヤ婆の監視の目がない代わりに、ジョースター一行が近付いてきている。

彼らにプッチのことを知られるのはまずい。

プッチがわたしの関係者であることを知られるのはまずい——この間はそうしなかったが、今回は念のため、わたしは彼にボディガードをつけて帰すことにした。

ボディーガードの名前はジョンガリ・A。

『マンハッタン・トランスファー』というスタンド使いだ——ケニーGやヴァニラ・アイス同様に、タロットカードの暗示からもエジプト9栄神の暗示からも外れている、言うなれば『はぐれスタンド使い』の彼ならば、ジョースター一行に悟られることなくアメリカまで同行することができるだろう。

できる限りの手は打った。

だからあと少しだ。
あと少し。

57

オインゴとボインゴの兄弟が敗北した。

それも悲しいことに、かなり間抜けな負け方をしてしまったらしい……、詳細は記したくもないのでここでは省くが、どうやら『トト神』が予知した未来を、兄のオインゴが読み違えてしまったということだ。

未来予知、未来を知るという意味では、ボインゴの能力はわたしが目指すものにもっとも近いが、しかしごく近い未来しかわからないということ、それに、

『いくつもの解釈が可能であること』

が、決定的に、そして致命的に、わたしの想定する『天国へ行く方法』に対して、不足している。

未来を知れば覚悟ができる。

ボインゴのあの言葉に偽りはなく、また間違いもないのだろうが、しかし表示される未来に多数の解釈ができてしまうのであれば、残念ながら『覚悟』の決めようがないというのが実際のところではないだろうか——たとえ絶望的な未来が表示されていても、それを無理矢理前向きに、いいように、自分にいいように解釈してしまうのが人間ではないだろ

うか。

それでは駄目だ。

わたしが想定するのは、確定的な未来だ。

絶望的であれ、希望的であれ――定まった未来。

そのためには、『トト神』のスタンド能力では、まだ足りない――場合によっては『天国に行く方法』を構築する上で、わたしは彼の力を借りようと思っていたが、どうやら彼では難しいらしい……もっとも。

兄のオインゴは――『クヌム神』の、変身能力のスタンド使いの男は、ほとんどリタイヤといった感じだが、ボインゴは――兄よりはまだ『覚悟』があったからだろうか、少し療養すれば、再戦は可能であるようだ。

単体ではとても戦えないスタンドだが……。

誰かと組ませれば。

オインゴの能力は変身能力であり、それ自体が戦闘能力ではなかった――ボインゴが兄しか信用しないから、それでもそんな兄と組んでいたが、もしも殺傷力を持つスタンド使いとボインゴが組めば。

未来を知るボインゴが、そういうスタンド使いと組めば――ジョースター一行を、今度こそ始末できるのではないだろうか。

だが、問題は誰と組ませるかだ。

スタンド使い同士でチームを、タッグを組める男など、他にはホル・ホースくらいしかいないのだが……ふむ。

58

時計。

思い出した。唐突に思い出した。

すぐに忘れてしまいそうな記憶なので、取り急ぎ、今日はそれだけを書いておく。備忘録だ。

わたしは百年前、正確に言うと百八年前になるのか、ジョナサンから時計を借りていた
――そしてまだ返していない。

きっと、ジョースター家が焼けたときに、一緒に燃えてしまったことだろう。

わたしがジョナサンの前で仮面をかぶっていないとき――石仮面ではなく、優等生の仮面という意味だ――ほとんど強奪するように、その『時計』を借りたのだ。

思えばあのときから、わたしの『スタンド』、『ザ・ワールド』の能力は決定していたのではないだろうか――

『壊れるまで借りるつもりだった』。

止まってしまうまで借りるつもりだったあの時計を、ジョナサンから奪った日から――

だが、『止める』だけでは足りないのだ。

時を止めるだけでは。

それでは、支配できるのは、精々『世界』までだ。

『現在のすべて』まででしかない。

もしも『未来』までを――『天国』までを支配しようというのならば、わたしの『ザ・ワールド』は、もう一段階、先に進まなければならない。

『時を操る』だけでは足りない。

『時を進めるスタンド』。

『時を加速させるスタンド』。

だが、そのためには……やはりわたしは、『勇気』を持たねばならないのだ。

一度は『ザ・ワールド』を捨て去る勇気を。

それがわたしにできるだろうか？

『与える者』。

『奪う者』。

『受け継ぐ者』。

そのどれでもない――『捨てる者』に。

59

『セト神』と『アヌビス神』、それに『バステト女神』も敗北したという。

次から次という感じだ――もうまるで、勝利の報告が、任務達成の報告が入ってくる予感がしない。エジプト9栄神は、わたしが直接スカウトしたというだけあって、途轍もなく強力なスタンド使い達だが――単純にジョースター一行の成長がそれを上回っているということなのだろう。

それとも、もっと単純にわたしの采配がエンヤ婆よりも劣っているということだろうか？　かもしれない。わたしは百年生きていても、その大半、ほとんどが海底での人生だ。老練とはまるで言えない。

老練と言えば、マライアを倒したのは、ジョセフ・ジョースターの策であるらしい――やはり彼は、女が相手であろうと容赦がない。

そして女が相手であろうと容赦なく、卑怯なトリックで、小賢《こざか》しい騙しで罠にはめて勝利を収める男だ――ジョナサンとはまるで違う。

それが『確信』できただけでも、彼女が敗北した意味があるということになるのかもしれない――ただ、問題は、アレッシーのほうだ。

人を『若返らせる』彼のスタンドは、考えてみれば、わたしの理想と通じるところがあると、つい今日、まさに今日、思っていたのだが……。

『人生をやり直せる』。

それが『覚悟』ということならば——多くの人間は、たとえ人生をやり直したとしても、同じ成功と同じ失敗、同じ間違いを繰り返して、おそらくは同じような人生を送ることになるだろう。

ならば『人生をやり直す』ことは無駄なのか？

わたしは違うと思う。

人生をやり直せるのなら——やり直すべきだ。たとえ同じ人生を繰り返すとしても。

何周でもするべきだ、そうではないか？

そんな疑問を探る意味でも、彼のスタンドは——人を若返らせる彼のスタンドは興味深かったのだが、どうやら性格的に彼はポルナレフの逆鱗《げきりん》に触れたらしく、遥か彼方にぶっ飛ばされたそうだ。

再起不能。

では済まなかったかもしれない。

ジョースター家の連中は、わたしの目的を——『天国に行きたい』という目的を知っているわけでもないだろうに、確実に、ほとんどピンポイントで正確にわたしの邪魔をしてくる。

それこそただの偶然なのだろうが、嫌な気分になってしまうのは確かだ——本当に、今すぐにでもわたしが直々に出向いて始末したくなる。

だが、まだ馴染んでいない——わたしの身体は、ジョナサンに馴染んでいない。左半身の回復力がやや弱い。

今の、数々の戦いを経て成長した奴らと戦うには、まだ準備不足だ。こんなことなら最初の時点でわたしが打って出るべきだった。

言っても仕方がない。

アジトの引っ越しもうすぐ完了することだし、わたしはあくまで、彼らを待とう——帝王のように、だ。

帝王と言えば、だ。

マライアとアレッシーが敗北したという知らせをわたしのところに持ってきたのは、あのホル・ホースだった。

やはり彼は面白い男だった。

少し挑発してやったら、己のスタンド『エンペラー』で、わたしを殺そうとしてきた——わたしの後頭部に、拳銃のスタンドを突き付けた。

気に入った。

奴は、わたしを殺そうとする一瞬、汗もかいていなかったし、呼吸も乱れていなかった。見事な『覚悟』だった。

『覚悟』した者は美しい——さすがホル・ホース。

わたしは思わずスタンドを使ってしまった。

『ザ・ワールド』で時を止めてしまった——わたしの能力を披露してしまった、大サービスだ。案外ああいう男こそ、足踏みしているわたしを差し置いて、あっさりと天国に行ってしまうのかもしれない。

少なくとも、二度もジョースター一行と戦っておきながら——生きて帰ってきた男など、彼をおいて他にいないのだから。

思えば信じられない強運だ。

J・ガイル、エンヤ婆という優れた、ルール違反スレスレのスタンド使いが敗北するかたわらで、ただの銃のスタンド使いが生き残る。

世界というのはそういうものだ。

いつかプッチにも言ったことだが、スタンドに、強い弱いの概念は、本当にない。

わたしはホル・ホースに、そろそろ退院するらしいボインゴと組むように、それとなく勧めておいた——彼らなら。

彼らの『覚悟』なら。

勝てないまでも、きっと相当にいいところまで行くだろう。
そう——勝てないまでも。
負けたところで。

60

ウインドナイツの町で、わたしは自らの傷の回復と療養、パワーアップ、それに刑務所の囚人や埋葬された犯罪者の死体をゾンビ化しての強力な部下、軍隊作りに勤《いそ》しんでいたわけだが、それ以外にも色々とやっていた。

やることをやっていた――必要なことをやっていた。必要なことを必要なようにやっていた。それは即ち、人体実験である。

『石仮面』の可能性。

そして『不死身』の可能性を知ろうとしていたのだ。

とはいえ、わたしは『石仮面』を他の誰かにかぶせて様子を見るというような人体実験だけは行わなかった――『石仮面』そのものの実験は二度と行わなかった。『石仮面』をかぶるのは、わたしだけの特権ということにしておいた。

用心したと言うよりはただの当たり前だ。

たとえ不死身の吸血鬼であろうと、何人も何人もいては価値を失う。頂点は常にひとつであるからこそ美しい――そう思っていた。

行った実験というのは、だからたとえば、こういうものだ――人間の頭部と犬の身体を合体させてみたり、その逆だったり、ゾンビと生きた人間の身体を合わせてみたり、その逆だったり。

死体に蛇を仕込んでみたり。

一見悪趣味でグロテスクな遊びのようにも見えるそんな実験だが、まるっきり遊びだったというわけでもない——実際、そんな実験が、功を奏したわけだ。

吸血鬼であるわたしの頭部と。

人間であるジョナサンの肉体。

その『合体』が、現にこうして実現しているのは、そうやって積んだ数々の実験の成果以外の何物でもあるまい。

実験が生きたのだ。

だからわたしは、ジョナサンに波紋を流されたあのとき迷いなく、自ら首を刎《は》ねることができたのだ——その後、誰かの肉体を乗っ取れるという保証があったから。

波紋の流れたボディを、あえて捨てることができたのだった。

だから、言ってしまえば誰のボディでもよかった——ジョナサンの肉体をあえて乗っ取る必要はなかった。

その辺の一般人の、弱い人間のボディを乗っ取れば、その後海の底で百年も封印されることはなかったかもしれない——だが、わたしはそうしなかった。

そんな理屈を重々承知した上で、わたしはそれでも欲しかったのだ。

ジョナサン・ジョースターの肉体が。

欲しくて欲しくてたまらなかった——それほどにわたしはあのとき、ジョナサン・ジョースターという存在を、宿敵を、尊敬していた。

彼の肉体こそが。

わたしの肉体なのだと思った。

だから——奪おうとした。

『奪う者』として、奪おうとした。

その考えは、結果としては間違っていなかったのだろう——もう少しこの身体が馴染めば、わたしは間違いなく、わたしになれるはずだ。他でもないわたしに。

61

ダニエル・J・ダービー、敗北。

生粋のギャンブラーである彼は、一時はジャン・ピエール・ポルナレフ、そしてジョセフ・ジョースターの魂を奪うところまで行ったが、最後の詰めとも言うべきところで、空条承太郎にしてやられたという。

報告を受ける限り、どうやら、わたしのスタンド能力――『ザ・ワールド』の秘密を知っていたことが、彼の敗因になってしまったようだ。

魂を操ることのできる、希少なスタンド使いのひとりが、ジョースターの手によってわたしの下から失われた。

虚無感はある。

失望もある――こうなってくると、わたしが何をしようとしたところで、ジョースター家の人間は、それを妨げようとするのではないかという、いっそ被害妄想めいた気持ちも湧いてくる。

だが、同時に――そうやってジョースター家の人間が、意図的であれどうであれ、わたしの行為を妨げようとすること自体が、わたしが現在歩んでいる道程が、的外れでないことを証明しているように思われた。

ジョナサン・ジョースターが立ちはだかるということは——その後ろにこそわたしの目指す『天国』があるということだと、わたしはそんな気がするのだ。

魂を操るスタンド使い。

最大の候補であるプッチは既にアメリカに帰したので、計画自体に問題になるような遅れは生じないが、これで保険の一人を失ってしまったのは確かだ——この上、できればダービー弟は失いたくはない。

念のため、彼だけでも今から出国させておくか？

いや、無理だろう。

プライドの高いあの若者は、わたしがどのような言い方をしたところで、きっと屋敷から離れようとしないだろう——たとえ真実を、正直に『天国へ行く方法』を話したところで、『ならば、だからこそ、自分は屋敷に留まり、あなたのそばにい続けます』とでも言うのだろう。口振りから表情まで、予想できるようだった。

いい言い方をすれば、柔軟な姿勢を持っていた兄に比べ、弟は頑《かたく》なだ——それこそ、『肉の芽』でも刺さない限り、わたしの言うことをきいてはくれないだろう。

もちろん、有用なのは彼のスタンド、そしてスタンド能力である以上、『肉の芽』を使うわけにはいかない。

好きにさせておくしかないだろう。

放任主義を貫くしか。

ホル・ホースとボインゴが、ジョースター一行を始末してくれることを祈ろう……、人類を超越した存在を名乗る者としては忸怩《じくじ》たる思いだが、今のわたしには、そうすることしかできない。

わたしにできることは本当にわずかだ。百年前から。

62

余裕がなくなってきたので、理路整然と書くのは諦めよう。書きたいことからではなく、書くべきことから書いておく。

わたしが今、何をおいても書いておかねばならないのは、『弓と矢』のことである。人間から、人間の精神から才能を引き出す魔法のアイテム、とでも言うべきなのか――『弓と矢』についてだ。

もっとも、エンヤ婆との会話でそう言っていたから、癖でそういう書き方をしてしまうが、『弓と矢』において、しかし『弓』はあまり関係ない。

重要なのは『矢』。

それも『鏃《やじり》』の部分である。

このノートを読んでいるのがプッチならば、彼は既に『体験済み』なのだから、そこまで細かい説明は不要だろうが、そうではない可能性もまだ残されているので、一応、その性質について説明しておこう。プッチにとっては復習になるはずだ。

時間がないので簡潔に。

その『矢』に貫かれた者は――あるいは、場合によっては、つまりその『才能』が強ければ、かすり傷がつくだけでもよいようだが――『スタンド』を、その精神から引き出される。

もしも『才能』がない者が『矢』に貫かれた場合は、それがたとえ急所を外れていたとしても、命を落としてしまう。

エンヤ婆は、

『凶悪な犯罪者ほど、生き残れる可能性が高い』

と言っていた。

そのあたりの理屈はゾンビ作りと同じらしい――悪意が強いということは意志が強いという意味であり、精神が強いということに繋がる。

だからその強さが『スタンド』として引き出される――つまりそういうことなのかもしれない。

現にわたしは、この『矢』によって、スタンド使いになった――『ザ・ワールド』と『ハーミットパープル』を同時に手に入れた。

もともとこの『矢』を入手したのは、エンヤ婆である――彼女が独自のルート、とやらで、ある日、この『矢』をわたしのところに持ってきたのだ。

彼女は既に実験を終えていた。

人体実験を終えていた。

多くの人間を『矢』で射抜き——スタンド使いを生み出したり、もちろん犠牲者を出したり意に添わぬスタンド使いを始末したりしながら、その性質を確認していた。

老齢の、己の身体さえも実験台にした上で、『ジャスティス』というスタンドを身につけた上で、

『ディオさま』

と彼女は言うのだった。

『どうされますか——確かに命の危険はございますが、しかしわしは、あなた様には「できて当然」じゃと思います』

迷う理由などなかった。

と言うより——百年前には知らなかった、そんな『超能力』めいたものの存在が確認されたというのに、わたしがその力を持っていないなど、あってはならないことだった。

もしもわたしが吸血鬼でなければ、波紋法だって身につけたいくらいなのだ——ツェペリがジョナサンへと『受け継いだ』波紋を、できることならわたしは、『奪いたかった』。

だからこそ、『波紋』ならぬ『幽波紋』を。

どんな犠牲を払ってでも——わたしは手に入れたかったのだ。

その判断は、数年たった今から振り返ってみればとても危ういと言うか……、ダービー兄弟でもやらないようなリスキーなギャンブルだが、しかし結果として、わたしはそのギ

ャンブルに勝った。

エンヤ婆の言うことは正しかった。

できて当然、というような当たり前さで——わたしは『スタンド』を身につけたのだった。スタンドを身につけて——

天国への切符を手に入れたのだった。

……いや、どうだろう。

わたしは本当にギャンブルに勝ったのか？

『弓と矢』の試練には確かに生き残った——わたしは必要なものを獲得した。

だが、どうだ？

わたしは不死身の身体でありながら、『死』というリスクを冒して『スタンド』を手に入れたが——わたしが『スタンド』を手に入れた影響で、同じ力をノーリスクで手に入れたジョセフ・ジョースターと空条承太郎こそが、この場合の真の勝利者ではないのか？

高熱を出し、死の危機に瀕しているのは空条ホリィ——聖女である彼女だけだ。

ジョセフ・ジョースターも空条承太郎も、結局は『受け継ぐ者』——スタンドさえも、ジョナサンの肉体から『受け継いだ』のだ。

もしもわたしが、あのとき、エンヤ婆の誘いを蹴って、『スタンド』の所有を拒否していたならば——ジョセフ・ジョースターにも空条承太郎にも、もちろん空条ホリィにも、わたしの生存を悟られることはなかったに違いない。

少なくともわたしが海底に沈んでいる間は、連中はわたしの生存を察しなかったのだから——だが、わたしがスタンドを身につけていなかったら、わたしは、天国への道を見つけることはできなかっただろう。

時を止めるスタンド、『ザ・ワールド』がなければ、『天国へ行く方法』を、ここまで導くことはできなかった。

長所と短所は表裏一体……。

本当にままならない。

天国に行くことは、だとすると、地獄に行くことと大差ないのかもしれない。わたしは天国に行くつもりで、実は、地獄に向かっているだけなのかもしれない。

だとしても——構わない。

地獄がわたしの育ったあの街よりもマシな場所であることは、もう知っているのだから。

63

エンヤ婆が『鏃』を買い取った相手は、まだ少年だったそうだ。少年はエジプトで、その『鏃』を発掘したらしい――ひょっとすると、石仮面を作った者と同じ手による『作品』なのかもしれないと思ったが、メキシコとエジプト、場所のずれからすると、それはなさそうだった。

ただ、その少年のことは気になる。

気になるというか――気にかかる。

機会があれば調べてみたい。

エンヤ婆が死んだ今、そのルートを逆に辿ることは難しいが、『ディアボロ』という名前だけはわかっているので、調査そのものは不可能ではないだろう。

引力があれば。

その少年と、わたしの間に引力があれば――きっと会えるはずだ。

どうせその少年も、生きているのならば、『鏃』によってスタンド使いになっていることだろうし――『スタンド使いとスタンド使いは、互いに引かれ合う』。

生きてさえいれば、だが……。

64

余裕がなくなってきた、というのは、ジョセフ・ジョースター、それに空条承太郎の気配を、今や間近に感じるからだ。

おそらくはこの、ジョナサンの肉体が影響しているのだろう——これもまた、ジョースター家の血統というのだろうか、互いの肉体同士が反応するのだ。

つまりわたしがふたりの気配を近くに感じるというだけではなく、ふたりもまた、わたしの気配を近くに感じているはずなのだ。

ジョースターの末裔は、もうすぐそこにまで迫っている——わたしの、第二のアジトのすぐそばにいる。

ホル・ホースとボインゴのコンビは、まだジョースター一行と接触していないようだ——何をのんびりしているのやら。まあそれがホル・ホースの持ち味とはいえ……、その持ち味は、余裕のある状況下でこそ、楽しめるもののようだ。

わたしが逃げるという手も、選択肢としてないわけではないのだが——渡米し、プッチと合流するという手も、もちろんないでもないのだが、しかし、現実問題、わたしは逃げるわけにはいかない。

逃げたくないという、ダービー弟のことを言えたものではない頑なな、意地のような気持ちもあるけれど、それだけではなく、現実問題として。

組織の頂きに立つものとして、

『刺客が来たから安全のために逃げた』

なんて無様な姿を、部下の前で晒《さら》すわけにはいかない——たとえそれが『天国へ行く方法』を探るためのやむをえない手段だったとしても、それを、わたしの崇高なる目的を、部下達に理解させるのは至難の業だ。

まさかわたしの生い立ちから始まるすべての出来事を、ここまでノートに記してきたあれこれを、逐一すべて説明するわけにもいくまい。

どうして『天国に行きたい』のか。

行かねばならないのか、天国とは何なのか——それをすべて説明したところで、やはり彼らに、それが理解できるかどうかはわからないのだから。

プッチのような理解者が、そう何人もいるほうが、わたしにとっては不安だ。

アジトを移っての時間稼ぎも、彼らをより効率よく迎え撃つためだという言い訳はかろうじて立つが、このタイミングでカイロを出る、ましてエジプトから離れるという行為は、これまでわたしとエンヤ婆で築いてきたわたしの組織を根底から覆《くつがえ》しかねない。

手元に——カイロ市内にいるスタンド使いは、ホル・ホースとボインゴを除けば、あと数名といったところだし、そのうちジョースター一行に対抗しうるのは、『ホルス神』のペット・ショップと、件《くだん》のダービー弟。

それに呼び寄せたケニーGとヴァニラ・アイス。

つまり現在、屋敷に詰めている者ばかりだ。

この屋敷は遠からず戦場になるかもしれない。

だとするとこのノートの隠し場所にも気を遣わなければ……、展開次第ではジョセフ・ジョースターや空条承太郎、それにジャン・ピエール・ポルナレフやモハメド・アヴドゥル（イギーということはないだろう）に、このノートを盗み見られるということもありうる。

それは避けなければ。

65

昨日、記録の締めに『それは避けなければ』と書いているのが目に入ったが、『それ』というのは、本当に避けなければならないことだろうか?

少し考えてみよう。

頭ごなしに否定せず、ブレインストーミングをするような気持ちで……、余裕がないときにすることではないかもしれないが、そんな可能性を考えることで、頭を冷やそう。

つまり、

『ジョースター家と協力する』

という選択肢だ。

当たり前だが彼らは、わたしがどういうつもりで、何を目的として動いているのか、わかっていないはずだ。『娘』、『母』を助けようという気持ちだけで動いていて――わたしの側の事情を勘案しているとは、とても思えない。

だから大方、百年前と同じように、わたしが世界を征服しようとでも――人類の頂点に立とうとしているのだろうとでも、そんな風に思っているに違いない。

わたしをそんな風に決めつけ。

わたしを絶対的な、倒すべき『悪』とすることで、殺人や暴力を自分に肯定していることだろう——それはいい。

的外れとまでは言うまい。

わたしは『悪』だし、彼らに送り込んだ刺客もまた『悪』だ——例外は『肉の芽』で操った、花京院とポルナレフくらいのものである。

だが、彼らはジョナサンとは違う。

決して正義感だけで動いているわけではない——正義の気持ちはあれど、それよりも、空条ホリィを救いたいという、感情的な気持ちのほうがずっと強いはずだ。

ならば、もしもわたしが『空条ホリィの命』を保証すれば——ジョセフ・ジョースターと空条承太郎は、このわたしを倒す大義を失うのではないだろうか。

取引が可能になるのではないだろうか。

ジョセフ・ジョースターと空条承太郎、ジャン・ピエール・ポルナレフにモハメド・アヴドゥルに花京院典明、それにイギーのスタンドパワーがあれば、『天国への扉』はますます大きく開かれるのではないか？

悪人とは言えない彼らの『魂』は、天国に行くための礎にはならないが、強力な魂であることに違いはなかろうし、しかしジョナサンの子孫がわたしに知恵を貸してくれれば、わたしの研究は飛躍的に進むのではなかろうか。

このディオと、ジョースター家の和解。

言うなれば歴史的和解。

わたしは彼らの家族を救ってやり。

彼らは天国行きの手助けをする。

なんとも理想的だ――あまりに理想的過ぎて、『それができれば苦労はない』以外の言葉が見つかりそうもない。

ブレインストーミングだとしても、かなり突飛な発想だった。まず、前提が実現不可能である――わたしには、空条ホリィを呪縛から解放する手段が思いつかない。石仮面でもかぶせて、脳を押してやればよいのだろうか？　いやいや、石仮面はもう現存していない――どこかにあるのかもしれないが、少なくともわたしは持っていない。

それに、たとえそんな手段があったとしても、やはりあのふたりは、そしてジョースター一行は、わたしと相容れないように思う。

歩み寄ろうとしてみても、元より人間性が違い過ぎるのだ――『奪う者』と『受け継ぐ者』が、相容れるはずがない。

何より彼らは、ジョセフ・ジョースターと空条承太郎は、『天国へ行く方法』に、何の興味も持たないのではないだろうか？

天国に行くまでもなく、

『受け継ぐ者』として、充実した生活を送っている彼らには、『天国』を自分の目で見たいというような欲求はないのではないだろうか。

この時間がないときに我ながら余計なことを考えてしまった。しかし、考えずにはいられなかった。こうして、肉体を乗っ取ってしまった今だからこそ、考えずにはいられないことがあった。

もしもわたしが、石仮面ではなく優等生の仮面を、ずっとかぶり続けていたなら——人間性は変わらなかったとしても、七年間と言わず、十年二十年、五十年と、ジョースター家において『いい子』のふりを続けていたなら。

ジョナサンとふたりでジョースター家を盛り立てていく、そんな未来もあったのだろうかと。

考えてしまう。

そんな『天国』もあったのかもしれないと考えてしまう、どうしても——ジョージ・ジョースターなんて、毒殺しなくともいずれは死んだだろうし、名声が欲しかったのならば、ジョナサンの力を利用したほうが、ずっと得策だったはずだ。

なのにどうしてわたしはそうしなかったのだろう。

優等生の仮面を脱ぎ、石仮面をかぶったのだろうか——それはきっと、許せなかったからなのだ。

裕福で、『持っている』彼らが——ジョースター家そのものが、許せなかったからなのだ。

だから同様に、彼らも許すまい。

ジョセフ・ジョースターと空条承太郎は、このディオを——決して決して、許すまい。

彼らにとってこのディオは、『何をした』とか『何をする』とか、そんなことは関係なく、存在そのものが『邪悪』なのだ——このディオにとって彼らが、『何をした』とか『何をする』とか、そんなことは関係なく、存在そのものが『邪魔』であるのと同じように。

百年前、ジョナサンにも言ったことだが。

まったく、よくできた関係である。

66

『エンペラー』、ホル・ホース。

『トト神』、ボインゴ。

共に敗北――これでわたしの、このディオの手持ちのスタンド使いのうち、ジョースター一行に差し向ける『刺客』と言える部下達は、一人残らず敗退したということになるようだった。

いっそ清々しい気分だ。

強がりでなくそう思う。

そう、強がりだったらもっとマシなことを言うだろう。

自分の弾丸を額に食らって再起不能となったホル・ホースと、イギーに噛まれて心が折れたというボインゴは、それでも、あと少しのところにまで迫ったのだと、このディオは評価する――彼らを高く評価する。

はっきり言って彼らは、ジョースター一行に、ほとんど勝ったようなものだったはずだ――にもかかわらず、最終的には『負けた』。

あたかもそう運命づけられていたように。

定められていた未来のように――負けた。

負けるべくして、負けた。

『トト神』の『予言』の解釈云々ということもあるのだろうが、しかし究極的には、ホル・ホース、ボインゴ組の『覚悟』を、ジョースター一行のそれが上回ったということになるのだと思う。

彼らはきっと『未来』を見ているのだ。

知らず知らずのうちに――『覚悟』を持って未来を見据えている。

だから『天国』のそばにいる。少なくともホル・ホースやボインゴ、ひょっとするとわたしよりも、ずっとそばに。

未来を見据える者が――勝利する。

何でも、誰に対しても。

ゆえに真の勝者とは、天国に辿り着いた者のことなのだ――まあ検証は後日にしよう、もしも後日、そんな時間があればだが――ボインゴは犬に噛まれただけで、犬に噛まれて精神が折れたというだけで、肉体的に再起不能というわけではない。

しばらくは入院することになるだろうが、しかし、ジョースター一行のことが解決すれば、その後に、彼のスタンドを、このディオが直々に生かしてやることができるかもしれない。

ボインゴの性格を考えれば、生半《なまなか》なことではあるまいが——それでも、もしもそれが必要なことであれば、わたしはするまでだ。必要なことを必要に応じてする。

近しい部下の大半をわたしは失ってしまったが、しかし、わたしはその一方で、確かに天国に近付いている。

確信に近付いている。

覚悟に——近付いている。

67

ウインドナイツの町に彼らがやってきたのは——つまり、ジョナサン・ジョースターとウィル・A・ツェペリ、それにスピードワゴンという男がやってきたのは、ジョナサンに負わされたわたしの火傷が、概《おおむ》ね回復した頃だった。

そういう意味では彼らはやや遅かったが、しかしわたしがまだ、その町を完全に支配下にはおいていなかったという意味では、彼らは十分に間に合ったのだと言える。タイミングがいいのか運がいいのか。

対決の際、ジョナサンはこう言った。

『ディオ……ぼくの気持ちを聞かせてやる』

『紳士として恥ずべきことだが正直なところ今のジョナサン・ジョースターは……』

『恨みを晴らすために！』

『ディオ！　きさまを殺すのだ！』

その見得《みえ》を聞いたとき、わたしは心の大部分で『くだらん！』と思ったが、しかし残りのほんのわずかな部分で、嬉しくも思ったという事実を、このノートに書いておかないわけにはいかない。

あのジョナサンに——常に紳士であることを旨《むね》に生きてきたであろうあのジョナサンに、そんな台詞を言わせたことは、わたしにとって、ひとつの達成感でもあった。

わたしにやり遂げたという気持ちがあったとすると、きっとこのときだっただろう。

とは言え、そのジョナサンに比べると、わたしはやや弱かった——ジョナサンに比べて、『覚悟』の量が、あのとき、やや弱かった。

『正直に言えば』、と言ってよいのならば、正直に言えばあのとき、わたしは、ジョナサンをこの手にかけたくないとさえ思っていた。

殺さなければならないとは思っていた——ジョースター家から乗っ取るべき財産など、もはやすべて焼けてなくなってしまっていたし、今更ジョナサンを殺したところでジョースター家を継げるはずもなかったが、彼が波紋法を使ってわたしの邪魔をする以上は、殺さなければならないことは、重々わかっていた。

しかし始末は部下に任せるつもりだった。

幼馴染であり、共に同じ家で兄弟同然に育ったジョナサンを殺しても、アンデッドにしても、面白くもなんともない——だから処刑は部下に任せるつもりだった。

そんなわたしに比べ、ジョナサンのほうがよっぽど決意を固めていた——このディオを葬《ほうむ》るのに罪悪感などないとまで言い切った。

すごいことを言うものだ。

だが、実際そうだったのだろう。

あれはもう、あのときはもう、正義と悪との、単純な対立というわけではなかった――石仮面によって捕食者となったこのディオから、生命体として身を守らんとする人類との戦い。

彼らにはわたしが邪悪に見えていたかもしれないが、ならばわたしには、彼らが食糧に見えていたというだけの話で――そこには善もなければ悪もなかったのだ。

生物間の抗争と言って差し支えない。

だから逆に、あそこでジョナサンが、正義や道徳を、恥ずかしげもなく口にしていたら、わたしはくだらないとさえ思わなかっただろう。こんな奴は相手にする価値もないと見切って、姿をくらましていたかもしれない――わたしはあのとき、ジョナサンが感情的に怒鳴ったからこそ、彼との勝負に応じたのだ。

その結果、無残にも敗北したわけだが。

……まあ無残でもない、首は残ったのだから。

68

ペット・ショップが姿を消した。

動物は死期を悟ると飼い主の前から姿をくらますというのはよく聞く話だが、この場合そんなことは関係なく、かのハヤブサはおそらく、命令された通りに屋敷への侵入者を排除しようとし、そして——返り討ちに遭ったのだろう。

状況から判断する限り、ペット・ショップを倒したのは、『ザ・フール』のイギーなのか……、動物のスタンド使い同士の戦い。

どちらが勝つにせよ、たとえ負けたにせよ、できればこの目で見たかったものだ。

動物にも『魂』がある。

その『魂』同士が鎬《しのぎ》を削る画を、見てみたかった——『弓と矢』を使えば、可能だろうか？　動物を手当たり次第に、『矢』で射抜き続ければ……。

しかし知能の低い動物にスタンドを与えるというのはリスクも大きそうだ。その能力次第では、何が起こるかわからない。ことによってはとんでもないバイオハザードに発展しかねない。

それはさておき。

これでおそらく、ジョースター一行に、わたしの居所は露見した。まあジョセフ・ジョースターはわたしと同じ『ハーミットパープル』を持っているのだ、いずれは『念写』の力でここに辿り着いてはいただろうから、早いか遅いかの違いというだけだ――改めて、自分に言い聞かせる意味で書いておくが、このディオ、逃げも隠れもしない。

この屋敷で彼らを迎え撃とう。

百年前と同じように。

69

ペット・ショップの『氷』のスタンドを見ていて、どうしても思い出すのは、わたしがかつて使っていた技術、『気化冷凍法』である。

わたしが波紋法に対抗するために編み出した技術、とでも言うのか……、吸血鬼だからこそできる肉体操作だが、要するに体内の水分を気化させることによって肉体を『凍らせる』技だ。

今でも使えなくはないだろうが、しかし、今のわたしの肉体はジョナサンのそれなので——完全なるコントロールが現時点では難しいということもあるし、何より気化冷凍法は、スタンドバトルにおいてはあまり役に立たない。

ペット・ショップの『氷ミサイル』などとは違い、敵スタンドを冷やすことはできないのだ。

ゆえに波紋法と同じく、既に、

『過去の技術』

としておくのが正しいだろう。

『ザ・ワールド』を身につけたわたしにとってもはや波紋が脅威でないように、スタンド使いにとって、肉体ではなく精神で、『魂』で戦える連中にとって、わたしの気化冷凍法は、あるいは波紋使いが名付けたところの『空裂眼刺驚《スペースリパー・スティンギーアイズ》』のような技術は、既に脅威ではなくなっているだろう。

過去。

構わない、過去は過去としよう。

重要なのはあくまで『未来』だ――『天国』だ。

いずれわたしにとっては、『ザ・ワールド』というスタンドも、過去のものとなる。ジョースター一族と、百年にわたり戦い続けているこの因縁も、すぐに過去になる――そうしなければならない。そうならなければならない。

目を傷めていた花京院典明が治療を終え、ジョースター一行に合流したという。なんというタイミングの良さだ。

これも引力か。

人と人との間に働く引力。

縁、という言い方をするのが一番しっくりくるのだろうが――思えばわたしと花京院典明との縁も、ジョースター一族との間の縁と同じくらいに、
『奇妙』
だ。

もしも明日、まだノートをつけられるような環境であれば、そのときはそのことについて書こう。

引力について。

それでこのノートは、概ね完成する。

あちらの戦力は、ジョセフ・ジョースター、空条承太郎、ジャン・ピエール・ポルナレフ、モハメド・アヴドゥル、花京院典明、そして犬のイギー。

こちらの戦力は、まずはこのディオ、ヴァニラ・アイス、ケニーG、テレンス・T・ダービー……、そして一応、ついでに言うならば、ゾンビのヌケサクか。

既に人数においては負けている。

繰り返しになるが、戦闘においては人数差が、もっとも肝要な意味を持つというのは確かだ――しかし考えてみればこのディオは、ジョナサン・ジョースターの肉体とディオの頭脳、ふたり分の『魂』を持つ。

ふたつのスタンドを持つ、例外だ。

ならば今のところ、人数は六対六の対等とも言えよう。

そのような気休めをもって、今日の記録を終える。ジョナサンの肉体は、どうせ奴らの味方をするのに決まっているのに。

70

ダイアーといっただろうか？

あのとき、わたしの右目を抉《えぐ》った波紋戦士は――わたしの気化冷凍法で、全身を凍らされ、砕かれ、首だけになりながらも、くわえた『薔薇《ばら》』に波紋を通し、その茎をわたしの右目に突き刺した男の名前は。

あの男のその攻撃がなければ、わたしはその後、ジョナサンに敗北することはなかっただろう――万全の状態であれば、わたしの視界に死角がなければ、必ずとまでは言わないが、しかしきっと、わたしはジョナサンを圧倒できていたはずだ。

それほどの力量差があった。

……これは、『あのダイアーとやらがいなければ』という恨み言ではない。

そうではなく、『ジョナサンの仲間にダイアーがいた』という、揺るがない事実について、わたしは記述している。

ウインドナイツの町に到着したとき、奴らはただの三人でしかなかった――それなのに、わたしのところに辿り着くときには、波紋戦士を何人も連れていた。

花京院典明が間に合ったように。

あの波紋戦士は間に合ったのだ。

あのタイミングの良さが、人と人との『引力』なのだと、わたしは信じる。

初めてプッチと会ったとき、確かわたしは彼とそんな話をしたように思う。

『きみは「引力」を信じるか？』

『わたしに躓《つまず》いて転んだことに意味があることを？』

『出会いというものは「引力」ではないのか？』

『きみがわたしにどういう印象を持ったのか知らないが――わたしは「出会い」を求めて旅をしている』

人はなぜ出会うのか。

それがテーマだ。

人生のテーマであり、天国のテーマだ。

その後プッチも、『出会い』によって、随分と辛い目に遭ったらしい――『弟』と『妹』を、彼は考え得る限り最悪の形で失ったらしい。

それに際して、彼は『ホワイトスネイク』という、希代のスタンド能力を入手した――逆に言えば、その悲劇を経験していなければ、そのスタンドを手に入れることはできなかったわけだ。

彼の気持ちをわたしは理解する。

わたしがもしも、ジョナサンと出会っていなければ――引き取られていた先がジョースター家でなければ、こんな人生にはおそらくなっていない。

石仮面がないから、とか。

弓と矢を得られないから、とか。

そういうことではなく――彼との出会いが、わたしをこんな人間に、人間以上の存在にしたという確信が、わたしにはあるのだ。

そしてわたしがいなければ、ジョースター家は、どうせ没落していたのではないかと思う――わたしと『出会わ』なければ、ジョナサンはああも人間的に成長はしなかっただろう。

甘ちゃんのままで彼は一生を終えていたはずだ。

ジョージ・ジョースターから『受け継いだ』財産を、考古学の研究なりなんなりで、だらしなく食いつぶしてしまっていたのではないだろうか――そう思う。

『未来』へ向かわなければならないわたしにとって、『過去』を振り返るという行為はあまり意味はないのだろうが、しかし実際に振り返ってみると、すべてが必然的だったかのように、解き方のわからない複雑なパズルのように組み合わさっていて、それは、人と人とが引き合った結果としか思えない。

スタンド使い同士は互いに引かれ合う。

そして人間同士も互いに引かれ合う——引かれ合った結果、わたしはジョナサンと、一体にまでなってしまった。

そう。

だから重要なのは『引力』だ。

天国に行くための、もっとも重要なキーワード——パズルにおける最後のピースは、『引力』のコントロールなのだと思う。

『引力』と『時間』には密接なかかわりがある。

だから『時間』を、更にコントロールしたいならば——わたしは『引力』をコントロールしなければならない。

だが、どうやってだ？

それは『出会い』をコントロールするのと同じ難易度を誇っているような気がする。果たして『出会い』はコントロールできるのか……、『因縁』をコントロールすることはできるのか。

できないとすれば。

それを『覚悟』することはできるのか。

わたしが、百年前から引きずっている因縁は——刻一刻と、わたしの下へと迫っている。

71

彼らが現れた。

わたしの屋敷に、ジョースター一行が、とうとう最後の最後まで、ひとりも欠けることなく現れた——犬のイギーが前足を負傷しているが、さすがは野生、どうやら戦闘に支障はないようだ。

向こうはひとりも欠けずにここまで来た。

対してこちらは、現時点で、ジャン・ピエール・ポルナレフと花京院典明を含めて、二十五人の優秀なスタンド使いを失った——こんなもの、引き算や足し算ではないのだろうが、しかしこれではどう考えても割に合わないという気持ちが否めない。

女ひとり助けるために、どこまでやるつもりなのだ、連中は——それとも、悪党の命は、聖なる女に比べて『安い』とでも言うのだろうか？

わたしは36名の『魂』を集めて、それを『天国』への礎にするつもりだが——彼らは二十五名、ひょっとしたらそれ以上の人間を踏みにじって、いったい何をしようとしているのだろう。

娘を助け、母を助け。

その後、何をするつもりなのだろう。

……まあ、おそらく、わたしは連中に、そんな質問をする機会はないのだろうが。

ヌケサクからの報告によると、ダービー弟が、今、連中のチームをふたつに分割したそうだ——ジョセフ・ジョースター、空条承太郎、花京院典明の三人を、現在地下室で、たったひとりで相手取っているという。

相変わらずの自信家ぶりだ。

それが裏目に出なければいいが——あの男は兄に比べて、精神的に脆《もろ》い。

心が読めるゆえに、タフさに欠ける。

精神の弱さはスタンドの弱さに繋がり、そして『覚悟』の弱さにも繋がる。

……昼間に起こされてしまったので、少し眠い。

休憩を取ろう。

起きたときに、すべてが解決していればいい——と思うほどに、わたしは楽観的ではない。わたしも『覚悟』を決めなければ。

『未来』のための『覚悟』を。

72

ヴァニラ・アイスに起こされた。

寝ていたところを起こされた。

受けたのはダービー弟がジョースター達に敗北したという報告だった――このわたしの執事を務めるほどの彼なのだから、それは当然のことながら、勝利に肉薄しての敗北ではあったという。つまり、花京院典明の『魂』を奪うことには成功したらしいのだ。しかしやはり詰めが甘かったようだ――『覚悟』が弱かったようだ。

テレンス・T・ダービー。

魂を見、つかむことのできる男。

ダービー弟は天才だった。

間違いなく天才だった。

贔屓目でなく、勝てる実力を持っていたと思う。

理論上は勝てていたと思う。

なのに――負けた。

そう、負けるべくして。

それは彼の覚悟が、彼らの覚悟に比べて弱かったからに違いないのだ。問題は、そして敗因は覚悟の物量のみだったに違いないのである。

これでわたしが知る限り、『魂』を操るスタンド使いは、『ホワイトスネイク』のスタンドを持つプッチひとりになってしまった——彼の重要度が、重要性が、わたしの中で上がっていく。

彼がどれほど、このわたしに対して『友情』を感じてくれているのかわからないが——わたしが彼にとって『心から信頼できる友』なのかどうかは謎でしかないが、『天国』行きには、しかしどうあっても、彼の力が不可欠になってきたようである。

ところで、ヴァニラ・アイスはどうだろう？

『クリーム』の、ヴァニラ・アイス。

『肉の芽』を刺したわけでもなく、まして血を吸ってゾンビ化させていたわけでもないのに、わたしのために自ら首を刎ねるような、あの男の異常とも言うべき忠誠心は、覚悟と置き換えられるだろうか？

わからない。

あれが『覚悟』なのかそうでないのか、わからない。

異常な忠誠心と覚悟は、あるいはイコールなのか。

それともまるで似ても似つかないものなのか——あの忠誠心は天国には似つかわしくな

い何かでしかないのかどうか。

それは結果に現れることだろう。

結果でしか判断できない。

わたしのために首を刎ねた彼を蘇らせるためにゾンビ化させてしまったので、ヴァニラ・アイスは、肉体強度が格段に跳ね上がる代わりにスタンドパワーが極端に落ちている可能性は否めないが——それを乗り越えるだけの何かが彼にあることを、わたしは願う。

73

と、書いたところで、またヌケサクから報告が入った。分断されたチームのもう片方、ジャン・ピエール・ポルナレフとモハメド・アヴドゥル、イギーのチームが、ケニーGを倒したらしい……。

屋敷全体に張られていた幻覚は、これで解除された。

そしてこれで『幻覚』のスタンド使いも、わたしの知る限り、エンリコ・プッチだけになってしまった——ただ、ケニーGが敗北した直後に、とうとうヴァニラ・アイスが『やった』ようだ。

モハメド・アヴドゥル——『炎』のスタンド使いを、己の亜空間の中に呑みこんだのだという。今度は、『実は生きていた』なんて、不要なサプライズの余地はない。

二十六、いや、二十七連続の敗北を経て、犠牲を経て、遂に我々は、連中から貴重な一勝をもぎ取ったというわけだ——タイミングとしてはぎりぎりもいいところだが。

続けてヴァニラ・アイスは、ポルナレフとイギーを相手にしているという——奴のスタンド能力ならば、きっと彼らも始末し得ることだろう。

報告を終えたヌケサクは、ジョセフ・ジョースター、空条承太郎、花京院典明のチームを始末しに向かった。

スタンド使いではないゾンビの彼に、あの三人を相手取ることができるとは思えなかったが、ここまで来たら、止めることはできなかった。

ヌケサク。

彼もまた、『合わせ技』のゾンビだ——わたしがジョナサンの肉体とわたしの頭脳を組み合わせてできたハイブリッドであるように、彼も、後頭部に女性の顔を『引っ付けた』デザインのゾンビだ。

ゾンビは魂を複数所有できるかどうかという試みはどうやら破綻してしまったようだし、既にそのような、吸血鬼性や不死身性の実験を行う意味はあまりないのかもしれなかったが——要するにヌケサクは、そういうものの最後の産物と言ってもいい。

戦闘能力はないに等しいが、はっきり言って役立たずではあるのだが、妙な親近感のある男なのだ。憎めない、と言うべきか。ダービー弟やヴァニラ・アイスと違い、忠誠心に欠ける彼は、もしもジョースター達に敗北したら、きっとわたしを裏切るだろうが……。

裏切られるそのときまでは、今や貴重な部下として、尊重してやらなければならない。

自らの意志で戦いに出向く彼を。

百年後の世界で出会った、縁ある彼を。

わたしは止めることはできない。

……ふと、思いついたことがあるので、戯《たわむ》れに書き残しておこう――ヌケサクのような二面一身のゾンビも、百年前にはよく作ったものだ。

二体の別の生命を『合体』させる試みを、わたしはよく行っていた――実のところ自分がボディを失ったときのことを、そこまで明確に想定していたわけではないのだが。

そんな中の、多くの試行錯誤のひとつとして、わたしは、『ゾンビの手を人間の手とすげかえる』というような実験もしたのではないだろうか？　百年前のことだから、よく覚えてはいないが――もしもそんな試行錯誤をしていたとして、そしてその中でケアレスミスが起こり、両右手の人間を作り出してしまっていたとしたら。

それはエンヤ婆のような魔女を生んだかもしれない――エンヤ婆本人ということはなくとも、その血に連なる者、だったりだ。

だとすると、わたしにスタンドを教えたあの魔女とわたしの間には、元より、大昔から浅からぬ因縁があったということになる――仮定に仮定を重ねた話なので、あまりに荒唐《こうとう》無稽《むけい》だし、今更検証のしようもないことだが。

しかし、そう仮定すれば、百年の封印から目覚めたわたしと彼女、エンヤ婆が、導かれるように出会ったという事実に、いくらかの納得もいこうというものなのだ。

海底に沈むわたしの棺桶を、間抜けにも宝箱か何かと勘違いして引き上げたトレジャーハンター達は、当然のことながらわたしにとって何百枚目か何千枚目かのパンとなったわけだが、しかし、それでもほんの数人、三人だったか四人だったか程度の栄養素でしかなく、わたしの百年の空腹を癒せるような量とは言えなかった――それに場所は、大西洋のど真ん中。

日中、照り盛る太陽からは、たとえクルーザーに乗っていたところで、隠れ切れるものではなかった――もしもあと数日でもエンヤ婆の迎えが遅ければ、わたしは干涸らびていただろう。

空腹か、太陽か、で。

エンヤ婆がわたしをあんな海上に迎えに来たのは、そう、

『タロット占いの結果ですじゃ――』

などとうそぶいていたが、わたしはそれを信じていなかった。

百年前、わたしという怪物があのあたりの海に沈んだということは、知っている者ならば知っていることだったのだから――その情報を得た上で網を張っていたと考えるのが妥当だと、そう思った。トレジャーハンターも、彼女の手の者だったという予想さえ成り立つくらいだった。

占いなどではなく。

彼女はきっと野心があって、機会を待っていたのだと思った――だが、それはわたしのうがち過ぎだったようだ。

彼女は言っていた。

わたしを救い、百年前からタイムスリップしてきたも同然のわたしに現代の知識を与え、そして何よりわたしにスタンドを教えたエンヤ婆は、わたしが貴様の望みは何なのだと問うたとき、こう答えていた。

『あなた様のおそばにいるのが望み……』

『スタンドとは守護霊のこと……あなたの守護霊はとてつもない力を持っている！　悪運の強い変わった人生もその影響じゃ……』

『あなたの人生を見てみたい！』

『それだけでいいのじゃ、わしは……』

本当にそれだけだったのかもしれない。

もしも彼女が——わたしの行った実験の成果の犠牲者、でないにしても、被験者であったのだとすれば——だ。

彼女がいなければ、わたしはきっと、『百年後の世界』には対応できなかった——それだけ、この百年の間に、『世界』は変わった。

百年の間に——『時』は『加速』した。

スタンドのことを彼女は守護霊だと言っていたが——あくまでもスタンドは魂であって、わたしにとっての守護霊は、エンヤ婆その人だったのではないか。

と、思うこともある。

いずれにせよ、あの実験は無駄にはならなかった——わたしはこうしてジョナサンの肉体を乗っ取っている。

そしてこれからも役に立つはずだ。

わたしと『友』が一体となるために——あの試行錯誤は、多くの犠牲は、礎は——ヌケサクというあのユニークな男も含め、まるっきり、無駄にはならない。

無駄には。

74

部下達が対応してくれているとはいえ、屋敷の中にわたしを殺さんとする敵が侵入してきているというのに、こんな風に呑気にノートをつけていていいのかという気もしないではないが、しかしジョースター一行のことなど、わたしにとっては取るに足らないことだというのを証明するためにも、このまま書き続けよう。

ヴァニラ・アイスに起こされて、彼の忠誠心に、変に目が冴えてしまったところもある。なんならいつもより捗《はかど》りそうなくらいだ――アイディアが冴えわたる。これはひょっとすると、ジョースターの血統の影響かもしれない。子孫がごく間近に来たことで、ジョナサンの肉体が活性化し、わたしの頭脳にいい効果をもたらしているのだろうか。

とすると、間接的にではあるが、

『天国に行く方法』

を考えるのに、ジョセフ・ジョースターと空条承太郎は協力してくれているということになるのかもしれない。

ならばこの機会を逃すべきではない。

部下達が――あるいはわたしがこの手で、ジョセフ・ジョースターと空条承太郎を始末してしまう前に、できる限りアイディアをまとめておきたい——天国に行くためのアイディアを。

頭脳が冴えわたっているうちに、ページを切り替えて、記憶を探ろう。最後の記憶だ。わたしがジョナサン・ジョースターの波紋に敗北した、肉体を吹き飛ばされた、その後の記憶を。

75

『信念さえあれば人間に不可能はない』

『人間は成長するのだ——してみせる！』

そんな名文句と共に、ジョナサンは自分の手袋を炎で包むことで、わたしの気化冷凍法を破り、わたしの身体に波紋を流した。

その衝撃に吹っ飛ばされたわたしは、さっきのヴァニラ・アイスではないが、自ら首を刎ねることで、頭脳を守った。

不死身の肉体が、頭部だけになっても生き延びられることは、既にゾンビを使って実験済みだった——誰かの肉体を乗っ取れば、身体を取り戻せることも。

わたしが奪うべき肉体は、ジョナサン・ジョースターのボディ以外には考えられないことは、既に述べた通りだ。

だからわたしは機会を待った。

彼の仲間、他の波紋戦士やスピードワゴン達に邪魔されることなく、ジョナサンと一対一で向き合える機会を。

もちろん、首だけになったみじめな姿をなるべく人前に晒したくなかったという気持ちもあったが――一対一で、ジョナサン・ジョースターと話したいという気持ちもあった。彼と、立場や関係を超えた、素直な気持ちで話したかった。

もっとも、わたしは部下のゾンビを連れていたし、彼は彼で新婚旅行の最中だったから、純粋に一対一というわけにはいかなかったが。

無理からぬ。

首だけのわたしはひとりでは動けなかったし――そして、結局のところ、『出会い』に恵まれているジョナサン・ジョースターの周りには、いつだってどこだって誰かがいるのだから。

そのときならば、あの聖女――エリナ・ペンドルトン。

名前が変わって、エリナ・ジョースターが。

アメリカに向かう、彼らの新婚旅行中の船――わたしはそれを、新聞で知ったわけだ。

船上ならば邪魔は入るまい。

ジョナサンの肉体を奪うにあたって、邪魔は入るまい――という読みだったわけで、実際、その読みは当たった。

だから読み違えがあったとすれば――わたしにミスがあったとすれば、船上という場所はやはり、吸血鬼にとっては鬼門であるということくらいだろうか。

流れる水を渡れないという、吸血鬼の特性のひとつ――は、十字架を苦手とするとか、大蒜《にんにく》を嫌うとかと同じで、わたしにとってはただの伝説だが、しかしこのときばかりは、験《げん》を担ぐ意味でも、それを参考にしておいてもよかったかもしれない。

わたしは地下船室に呼び出したジョナサンに、『空裂眼刺驚《スペースリパー・スティンギーアイズ》』を二発、食らわした——ほとんど不意打ちのような攻撃だった。

首だけになっていたわたしは、気化冷凍法も使えなくなっていたので、仮にジョナサンに先手を打たれていたら、勝ち目はなかっただろう——しかしだからといって、わたしが先手を打って、ジョナサンを苦しめるつもりや、ましてなぶるつもりなどなかった。

わたしは苦痛を与えずに一瞬で彼の命を絶つため、眉間を狙ったのだが——身をよじってかわされたため、わたしの攻撃はジョナサンののどを抉るにとどまった。

もっとも、のどを打ち抜いたということは、イコールで呼吸ができなくなったということで、彼は波紋を練ることができなくなった——だからその時点で、わたしの勝ちは確定した。

確定したはずだったのだ。

それなのに、結局、最終的には引き分けというところにまで持ち込まれたのは——そのとき、エリナがその船室を訪れたからだろう。

嫌な予感、とでも言うのか？

それとも夫婦の絆、か？

あるいは、ジョナサンとエリナの間に、『引力』が働いたのか——とにかく、わたしがジョナサンを撃ち抜いたそのとき、彼女がやってきた。

そしてジョナサンは『爆発』した。

わたしが初めから『恐れていた』、ジョナサンの爆発力が——発揮された。

皮肉なものだ。

ジョナサンを成長させた、最初に彼を人間的に成長させたエリナが——わたしを激昂させたエリナが、こんな風に、わたしとジョナサンとの最終対決に割って入ってきて。

その上でほぼ敗北が決定していたジョナサンを、痛み分けにまで導いたというのだから、これ以上の皮肉はない。

わたしのミスは吸血鬼の弱点である船上でジョナサンに勝負を挑んだことだ、などと冗談めかしたことを言ったけれど、本当のミスは、そう、エリナ・ペンドルトン、いやエリナ・ジョースターを、軽んじていたことだ。

新婚旅行の行き先を知った新聞記事には、きちんと、彼女の名前も、ジョースター夫人としての写真も掲載されていたというのに。

そのときには、わたしは、あのときのエリナだ、と気づいていたというのに——波紋戦士やスピードワゴンの邪魔が入らないことばかりに気を取られ、彼女がわたし達、ジョナサン・ジョースターとこのディオにとってどれほどの重要人物であるかを、迂闊にも忘れていた。

気高く、誇り高い。

聖女のようであり、母のようであったあの女性が――わたしにとって、ジョナサンにとって、我々にとって、どれほどの存在感を持っていたのか、認識しておくべきだった。

ましてエリナ・ジョースター。

その時点で彼女は、ジョースター家の人間――ジョースターの一族になっていたのだから。

ジョナサンは最後の波紋を振り絞った。

呼吸で練った波紋、ではない。

生命で練った波紋――『魂』で練った波紋だ。

それはあるいはウィル・A・ツェペリから『受け継いだ』波紋だったのかもしれない――彼はその波紋で、わたしが連れていた下僕のゾンビを操り、船の外輪、スクリューシャフトを止めたのだ。

操られたゾンビは、わたしに東洋の秘薬、父と養父に呑ませた毒薬を売った中国人、ワンチェンのなれの果てだったのだが――そこにも変な縁というか、『引力』を感じざるを得ない。

ゾンビ、ワンチェンの怪力でシャフトの動きを止め、それによってピストン内の蒸気の逃げ道を防ぎ、圧力を上げ──船そのものを爆発させることを、彼は目論《もくろ》んだのだった。

一瞬で立てた策とは思えない、自爆技だ。

最後の最後まで屈しない男──だが、これは彼にとっても、苦渋の決断だっただろう。

このディオやワンチェン、それにワンチェンが増やした船内のゾンビはともかく、まだ生き残っていたであろう船内の乗客どもも、諸共に殺すことになってしまうのだから。

このディオを世に解き放つよりはマシだという判断だったのだろうが──だからといって葛藤がなかったはずもない。

無辜《むこ》の民を犠牲にする選択は。

彼にとってどうしようもなく重かっただろう。

それでも彼は、エリナだけは逃がそうとした。

彼に駆け寄っていくエリナは、まさしく聖女そのものだった。

『わたくしにはいったいどんな事態が起こっているのかわかりません……』

『だって……想像を超えていて、泣けばいいのか叫べばいいのか、それとも気を失えばいいのか、わからないのですもの……』

そう前置きをしながら、彼女は言った。

エリナ・ジョースターは言った。

『でも、言えることはただひとつ』

『エリナ・ジョースターはあなたと共に死にます』
わたしはその言葉に驚かなかった。
きっと母でも同じことを言っただろうから。

76

と、ここまで書いたところで、ヴァニラ・アイスが消滅したらしい。

消滅、そう。

殺された、とか、倒された、とかではない——わたしの血液によってゾンビ化していたヴァニラ・アイスは、おそらくは太陽の光によって、跡形もなく消滅したのだ。

『血の繫がり』とは言わないまでも、忠誠心以外のところで主従の関係で結ばれていたわたしには、ヴァニラ・アイスの消滅が、誰から報告を受けるまでもなく、わかる……。

もっとも、ヌケサクがジョセフ・ジョースター達のチームのところへ向かっている以上、わたしに『ヴァニラ・アイス消滅』の報告を上げてくる部下は、もう一人も残っていないわけだが。

ヴァニラ・アイスほどの部下を失ってしまうとは……、なんという痛手だろうか。最終的な死に方が『消滅』であるということは、やはり、と言うべきか、ゾンビ化させてしまったことが裏目に出てしまったようだ。

わたしの行動はすべて裏目に出る。

しかしこれはミスとは言えない——運命が彼らの味方をしているだけだ。わたしさえも、ジョースターの血統の味方をしている——それともまだ馴染んでいないわたしの肉体が、ジョナサンの肉体が、自然に、彼らに有利な行動を選んでいるのかもしれないが……。

確かにわたしは、多少、動揺している。

みっともなく慌てふためいてこそいないが……、部下を殺され、腹心を始末され、屋敷を暴かれ、孤立させられ、丸裸にされていくようなこの状況を、当たり前だが、快くは思っていない。

しかしこんな状況でさえ——絶望的な状況でさえ、きっと、あらかじめ予想できていたら、きっと、『覚悟』を持って迎えられたことだろう。

これが見えていた、わかっていた未来だったならば、何の動揺もなく、迎えられただろう。

やはり『天国』だ。

わたしは『天国』を見——『天国』に行き、そして真の勝利者にならなければならない。

勝利を奪い取らなければならない。

……消滅したとはいえ、ヴァニラ・アイスのあの能力である——ポルナレフとイギーのうち、どちらか片方くらいはアヴドゥルに続いて始末していると思うし、そうでなくとも、結構な傷を負わせているはずだと、わたしは信じる。

それに、もしもどちらも生き残っていたとしても——知能がいかに高くともイギーは犬、実際にはポルナレフはひとりでいるようなものだ。

無駄、だとは思うが……。

しかし一度だけ、チャレンジしてみるとしよう。

ポルナレフがジョセフ・ジョースター、空条承太郎とは別行動を取り、そして孤立している今は、ほとんど唯一無二のチャンスと言っていい。

人と人との出会いに引力があるのなら。

わたしとポルナレフの間にも、その引力があってもいいはずだ——ジョースター一族と手を取り合うことはできなくとも、大半の部下を失った今、ポルナレフが戻ってきてくれれば、とてもありがたい。

花京院は、そのものジョースター達と行動を共にしているから、交渉は無理としても……、ジャン・ピエール・ポルナレフ。

彼は、『肉の芽』で支配されたことを除けば、わたしに直接の恨みはないし——恨みの相手であるJ・ガイルを自分の手で既に始末しているし、何より、花京院典明と違って、空条ホリィと直接の接触がない。

ならば交渉次第によっては、わたしの味方に引き入れられるかもしれない。彼が、ジョースター達と合流する前に、交渉できれば……。

行くとしよう。

次のページを書くときに、いい報告ができることを願う。

77

駄目だった。

にべもなく断られた――何が不満だというのか、正直言って、このディオは想像もつかない。

正義感に酔っているのか――それとも妹を殺された恨みを、そのままわたしに転じているのか。

それはあるかもしれない。

J・ガイルという、直接の仇を倒したところで、彼の妹が生き返るわけではない。ゆえに恨みが完全に晴れることなどない。残った恨みを、J・ガイルを部下としていたこのわたしに向けているのかもしれない。空条ホリィをまったく知らない彼がわたしを拒絶する理由は、それくらいしか考えられない。

つまりジャン・ピエール・ポルナレフにとって――妹のシェリーは、空条ホリィ、あるいはわたしの母親のように、『聖なる女』だということなのかもしれない。

シェリー。

フランス語で、確か『愛』という意味だったか……結局、このディオはいつもいつも、その『愛』とやらに敗北することになるのだろうか。

親子愛。

家族愛。

人間愛。

……否。

まだこのディオは、敗北したわけではない。

百年前はいざ知らず——今はまだ、ジャン・ピエール・ポルナレフという優秀なスタンド使いに、誘いを断られたという程度だ。

それは敗北ではない。

ただ——『引力』がいいように働かなかったというだけのことだ。タイミング次第では、彼はわたしといい友達同士になれたはずなのだ。そう、タイミングが違えば。

……タイミング？

いや、待て、違う。タイミングという言葉は、ほとんどイコールで『時』を意味するが——しかし、それだけではないのではないか？　タイミングならば、しようと思えばいくらでもコントロールできる。

わたしの『ザ・ワールド』は、タイミングをコントロールする能力と言い換えてもいい——なのに、この体《てい》たらくだ。

ならば重要なのはタイミングではない、『時』ではない。

厳密に言うならば、『時』だけが重要なのではない――それと同じくらい、そしてそれ以上に重要なことがある。

それは『場所』だ。

たまたまわたしが、ジョナサンに殴られた『場所』が石仮面に血が飛ぶロビーだったように――たまたまわたしが落下した『場所』に女神像があったように、そしてたまたま、わたしがジョナサンの肉体を狙った『場所』が海だったように――『場所』こそが大いなる意味を持つ。

最後に必要なものは――『場所』である。

78

とにかく時間がない。

落ち着こう、ページを切り替えて、一旦落ち着こう。

興奮するな――そうハイになるものではない、こんなとき、わたしはいつも足元を掬《すく》われてきたではないか。そうだ、こういうときは素数を数えればよいと、エンリコ・プッチが言っていた。素数は1と自分の数でしか割ることのできない孤独な数字。

孤独は勇気を与えてくれる。

素数を書き連ねよう。
2、3、5、7、11、13、17、19、23、29、31、37、41、43、47、53、59、61、67、71、73、79、83、89、97――ふむ。
言うほど効果はないようだ。

しかし、とにかく落ち着こう。

まずは百年前の物語を完結させよう。

わたしが提示したチャンスを蹴ったポルナレフ、それでももう少しの間でも話せていたら――わたしのスタンド『ザ・ワールド』の絶対性を彼にもう少し示せていたら、彼は屈

服していた可能性があったが、

『引力』

は、彼の仲間を引き寄せた。

ジョセフ・ジョースター、空条承太郎、花京院典明が壁を破壊して、太陽の光を背に、ジャン・ピエール・ポルナレフに合流した。

太陽の光を動かしがたい弱点とするわたしは一旦その『場所』から動かざるを得なかった。あそこがもしも地下だったら、太陽の光が届かない地下だったなら——重要なのはやはり『場所』だ。

ケニーGの幻覚は消えたとはいえ、この屋敷はもとより、それなりに複雑な構造になっている——すぐには追いついてこないだろう。

とはいえ花京院がヌケサクを袋詰めにして連れていたようだから（太陽の光から守るためなのだろうが、酷いことをする）、遠からずわたしのところに来るだろう。

その前に、わたしの『発見』を書き終えておかなければならない。ジョセフ・ジョースターや空条承太郎個人を恐れているのではない。あくまでもわたしは、ジョースターの血統を、警戒しているのだ——百年前のあのとき、そうすべきだったように。

聖女、エリナ・ジョースター。

最初から最後まで——と言うか、最初と最後にわたしの計画を邪魔してくれたあの聖なる女は、あのとき、伴侶となったジョナサンと共に死ぬ決意をしていた。

健やかなるときも、病めるときも、共に喜び、共に苦しむことを、たとえ誓っていたとしても——共に死ぬことまでも誓ったわけでもなかろうに。

子供の頃、一度助けられた程度の男のために——命を捨てようと、彼女はしていた。

なんと愚かなのだろう。

それは、清く、正しく、美しい。

ただし愚かだ、救いようがない。

母のようだ、と、本当に、改めてわたしは思った——憎しみがざわざわと湧いてきた。

だから許せなかった。

わたしのボディに——ジョナサンの身体に、そんな女が寄り添っていることが。

わたしにはそうしてくれなかった癖に。

どうして——そんな奴に。

母さん。母さん。

かあさん。

『僕の母も……』

と。

そこでジョナサンは言った。

すぐそばに、ゾンビから逃げ惑った挙句に、階段から転がり落ちてきたらしい、赤子を抱いた女の死体を指さして――言った。

『あの……母親は子供を庇って死んでいる……』

『僕の母も……そうして死んだ』

『あの子を連れて……早く逃げてくれ』

『泣いてくれてもいい……でも、きみは生きなくてはならない』

女は死んでいたが。

赤子はまだ生きていた。

だからそれを救えと――ジョナサンは妻に言ったのだ。共に死のうとしていた妻に、そう頼んだのだ――なんと空気を読まない男だろう。

だがその空気の読まなさこそが、ジョナサン・ジョースター。

我が生涯の宿敵であり。

これまでの人生で唯一、尊敬した男だ。

憎みながらも――今もその子孫を鬱陶《うっとう》しく感じながらも、わたしは彼を尊敬した。だからこそ、なお一層、彼の肉体を奪おうとした。

最後の最後で、彼は『受け継ぐ者』から『与える者』になったのだった――エリナは、聖なる女は、涙ながらに、その言葉に従った。

死にゆく者の言葉だ。愛する者の言葉だ。

断れるはずもない――首だけのわたしが、さっきジョナサンがしたように、最後の力を振り絞って、血管針を飛ばしながらジョナサンの身体に襲いかかるのと、エリナがジョナサンの身体から離れるのは、ほぼ同時だったように思う。

その後のことはよく覚えていない。

記憶が飛んでいる。

船の爆発音さえ、わたしは覚えていない。

79

ジョナサンとの、ひょっとするとあの瞬間だけはあったかもしれない、生も死も超越したところで最後にようやく成立したかもしれない友情を思い、少し感傷的になってきたので、冷静になるためにページを替える。

どうやらヌケサクが裏切り者なりに空気を読んで、的外れな場所にジョースター達を案内しているようだ——まあとはいえあのヌケサクも、わたしがこんなときに、こんなノートをつけているとは思うまい。

屋敷にある数々の隠し通路のことも、あいつは知らないだろうしな——ならばキリのいい箇所まで書いたところで、おそらくは彼がジョースター達を案内しているであろう塔の天辺の部屋に行ってやるとしよう。

どうせこのままだと、ジョセフあたりの波紋で始末されることが目に見えている男だ、このディオが直々に刻んでやるとしよう——不死身の身体だ。運がよければ生き残るかもしれない。

さて、その後のことをよく覚えていないという話だったが、それは正確に言うと、その後いったい何が起こったのか、推理してみても、どうにも辻褄《つじつま》が合わないということでもある。

　こうしてわたしが実際にジョナサンの身体を乗っ取っているという現在を見る限り、わたしはその後、何らかの形で、ジョナサンの肉体を、

『奪う』

　ことに成功したのだろう——これは間違いない。

　そして、乗っ取っただけでなく、こうして『生きている』という点を見れば——百年間、棺桶の中で、海の底で過ごしたという点を見れば、わたしはジョナサンの身体を乗っ取った後に、あのシェルター並みに丈夫な棺桶の中に入ることに成功し——ジョナサンが仕掛けた爆発から生き延びたのだろう。

　それが論理的帰結だ。

　だが、わからないのは、どうしてエリナ・ジョースターがその後、赤子を救った上で生き延びたのかという点である——彼女はいったいどうやって、あの爆発から生き延びたのだ？

　避難用のボートや浮き輪の類は、ワンチェンが増やしたゾンビがすべて破壊していたはずだ——万が一にもジョナサンを逃がさないように、わたしがそう指示を出した。

　だから、ジョナサンの指示通りにエリナが逃げようとしたところで、生き延びようとしたところで、それは不可能だったはずなのだ。

赤子と共に海に沈むのが彼女の運命だったはずだ――だからわたしは、ジョセフ・ジョースターの『ハーミットパープル』に『撮られる』までは、まさかジョースター家の血統が、今もって続いているとは思わなかったのだ。

滅んでいると思っていた。

滅ぼしたと思っていた――なのに。

またも仮説を考えることになるが、つまりエリナ・ジョースターが生き延びるための方法があったとすれば、わたしが用意した棺桶――船に運び込ませた棺桶、シェルターの中に入るしかなかったわけだが……。

だが、そんなことが可能か？

あの棺桶、シェルターはひとり用だが、しかし無理すればふたり、入れないわけでもない。まさか、ジョナサンの肉体を乗っ取ったのちのわたしの体格にぴったりフィットするように棺桶をデザインしたわけでもないし――わたしとエリナ、ふたりが棺桶の中に入ったという推理は、できなくはないだろう。

ふたりと言ったが、厳密には三人。

もっと厳密には、四人。

わたし、ジョナサン、赤子、エリナの四人が――全員、あの棺桶の中に入っていたのだとすれば、現状に説明はつく。

ジョナサンは百九十五センチという大柄な身体だが、その時点での彼は頭部を失っているはずだし、同じくらい長身のわたしは頭部だけになっているし、エリナは小柄で、赤ん坊は赤ん坊だ。

多少の無理をすれば、その四名がひとり用のシェルターに入ることは、決して物理的に不可能ではなかろう。

だがあくまで物理的にだ。

心情的には、それはありえないと言わざるを得ない――ジョナサンは、のどを貫かれ、最後の波紋を振り絞って、死んでいた。

その死を、わたしは確認した――ように思う。

ならば意思があったのは、ジョナサンの身体を『奪って』いたわたしということになり、このわたしが、エリナ・ジョースターと同じ棺桶に入ることを良しとするわけがない。

記憶がなくとも断言できる。

わたしにそのとき意識があれば――こんな結果にはなっていない。

おそらくわたしは、最後の力を振り絞ってジョナサンの身体をかろうじて乗っ取ったところで――意識を失ってしまったのだろう。

意識を失った。

と言えば聞こえはいいが――要は力尽きたのだ。

ならばその力尽きたわたしを、シェルターの棺桶に入れたのは誰なのか――これまでわたしは、意識を失いながらも、それでも生きるために無意識のうちに棺桶の中に入ったのだろうと、自分を納得させていた。

現在わたしが生きている以上は、それ以外に解釈はないはずだった――だが、エリナ・ジョースターも生きていたという状況を考えれば、話が違ってくるわけだ。

もしもわたしが無意識に這いずって棺桶の中に入ったのだとしても、エリナは自分が棺桶に入る際、そんなわたしを外に放り出すに決まっているではないか――憎きわたしなど、愛する伴侶を殺したわたしのことなど、放り出すに決まっているではないか――いや。

勿体《もったい》つけるのはよそう。

実のところ既にわたしは答に辿り着いている――それを認めたくないだけだ。エリナが助かっていた、ジョースター家の血統が、意志が受け継がれているという事実が判明した段階で、本当はわかっていたはずなのに、わかってもよかったはずなのに、それを認めたくないだけなのだ。

エリナ・ジョースターに。

命を救われたことを――認めたくないだけだ。

……だが、こうなってしまえば、それ以外に答がない――ジョナサンの身体を乗っ取り、力尽きたわたしを、エリナが棺桶まで運び、一緒にその中に入った。

それ以外に、わたしとエリナ、それに赤子が助かる方法はない。

普通に考えて、それは、夫の死体を、船の中にそのままにしておけなかったがゆえの行動と見るべきなのかもしれない。

だが、違うということが、わたしにはわかる。

ジョナサンの肉体を持つわたしには、わかってしまうのだ。

あの女は。

気高く、誇り高く、愚か極まりないあの女は――あろうことか、このわたしに、他ならぬこのディオに、情けをかけたのだ。

『ディオ』

『いいですか、ディオ……』

『わたしも貧困の中に生まれていたら同じことをしていたかもしれません……』

『同じような野心を持ち、同じように人の道を踏み外していたかもしれません』

『ジョナサンの肉体は、もうあなたのものです』

『これであなたも、本当にジョースター家の人間です』

『母なる海の底で、わたしの夫と共に、しばらく休んで』

『安らかに眠って』

『五十年先か、百年先のことかわかりませんが』

『いつかきっと、悪の人ではなく善の人になってください……天国に』
『天国に行けるような、気高く、誇り高い人間になってください』
どこかで誰かが言ったような。
そんな言葉を——最後に聞いた気がする。
何と言っていたのだろう。
エリナ・ジョースターは。
わたしの母は何と言っていたのだろう。

80

最後に必要なものは場所である。

場所と——時間である。

計算してみた。

北緯28度24分、西経80度36分へ行き——次の新月を待て。

それが『天国の時』であろう……さて。

そろそろ時間が来たようだ——遂にジョースター一行が来たようだ。

『天国』に行くための方法は既にわたしにとっては明確だが、残念ながら、今日は一旦、ここで筆を措《お》かざるを得ないようだ——塔に向かい、ジョースター家との因縁を、今度こそ完全に断ち切ろう。

焦ることはないのだ、わたしは永遠の命を持つ身。

時間はいくらでもある。

続きは明日、書くとしよう。

あとがき

僕が初めて読んだと記憶している『ジョジョの奇妙な冒険』の『画』は、『エボニーデビル』の操る人形がホテルマンの顔面をカミソリで、さながらお面のように切り落とすシーンでした。当然、当時の僕はこの人形がどういう原理で動いているのか、突如出現した甲冑の戦士は何者なのか、そもそもスタンドとは何なのかもわからないままに読むことになるのですが、しかしそれでも、あるいはそれゆえに、強烈に引き込まれていったのを、今でも昨日のことのように思い出せます。まあ実際は僕はそれ以前から週刊少年ジャンプを読んでいたわけだし、よくよく思い出してみれば『ダークブルームーン』で承太郎が敵スタンド使いの正体を言い当てるようなエピソードも確かリアルタイムで読んでいたはずなので、それが初めての記憶だという記憶は明らかに間違えているのですが、つまりお前一体何を昨日のことのように思い出してんだよというような話ですが、ええ、好意的に解釈すればまあ子供心に一番印象深いシーンがその場面だったということなのでしょう。なんにしても、顔面をお面みたいに切り落とすとか、今の週刊少年ジャンプでは間違っても描けないシーンだよなあと、そういう意味でも懐かしく思い出したりもします。あれから時代も色々変わりましたけれど、しかしそれでもやっぱり変わることなくかの雑誌では、『ジョジョの奇妙な冒険』が作り出した潮流が受け継がれているように思います。中にはなんか勘違いした形で受け継いでしまった僕みたいな奴もいるんですけどね。

そんなわけで本書は世紀の名作、否、世紀を跨ぐ名作、更なる百年後でも語り継がれているであろう名作、『ジョジョの奇妙な冒険』のノベライゼーションです。ディオという物語。『ジョジョの奇妙な冒険』は、言い換えてしまえば『ディオの奇妙な冒険』でもあるのだと僕は思っていて、そんなディオの物語を今回描けたことは、小説家冥利に尽きると同時にファン冥利に尽きます。……しかし僕がこんな素直なあとがきを書くのも珍しい。と言うわけで『ジョジョの奇妙な冒険』ノベライゼーション、『OVER HEAVEN』でした。

ところで、小説家冥利に尽きるとか、ファン冥利に尽きるとか言ったあとでこんなことを言うのもなんですが、この小説は仕上げるにあたってかつてないほど苦戦しました。数々の進行をかいくぐって仕上げたと言ってよいでしょう。根気強く出来上がるのを待ってくださった集英社JUMP j BOOKS編集部と、第八部『ジョジョリオン』の連載開始でお忙しい中、美麗な表紙イラスト、そして挿絵を描いてくださった荒木飛呂彦先生に深く感謝します。……やっぱなんか普通で調子が狂うなあ。まあ『ジョジョ』は人を素直にするってことで。

西尾維新

西尾維新 （にしお・いしん）

1981年生まれ。
2002年、『クビキリサイクル』で
第23回メフィスト賞を受賞し、デビュー。
同作に始まる「戯言シリーズ」や「物語シリーズ」など著作多数。
漫画原作者として『めだかボックス』を
週刊少年ジャンプで連載。

荒木飛呂彦 （あらき・ひろひこ）

1960年生まれ。
1980年、『武装ポーカー』で第20回手塚賞に準入選し、デビュー。
1987年から連載を開始した『ジョジョの奇妙な冒険』は
四半世紀を超える長期連載となり、
世界のアートやファッションにも大きな影響を与えている。

初出
JOJO'S BIZARRE ADVENTURE OVER HEAVEN　書き下ろし

JOJO'S BIZARRE ADVENTURE
OVER HEAVEN

2011年12月21日　第1刷発行
2013年12月17日　第2刷発行

著者　西尾維新
原作　荒木飛呂彦

装丁　高橋健二（テラエンジン）
編集協力　添田洋平
発行者　鈴木晴彦
印刷所　図書印刷株式会社
製本所　加藤製本株式会社
発行所　株式会社　集英社
〒101-8050　東京都千代田区一ツ橋2-5-10
TEL 03-3230-6297（編集部）
03-3230-6393（販売部）
03-3230-6080（読者係）

Written by NISIOISIN
Original concept & illustration by HIROHIKO ARAKI

Printed in Japan
ISBN 978-4-08-780630-4
C0093

検印廃止